Supplément au Voyage de Bougainville

© Éditions Belin/Éditions Gallimard, 2011 pour l'introduction, les notes et le dossier
pédagogique.

ISBN 978-2-7011-5644-6
ISSN 2104-9610

CLASSICOLYCÉE

Supplément au Voyage de Bougainville

DENIS DIDEROT

Dossier par Julie Cuvillier

Certifiée de lettres modernes

BELIN ■ GALLIMARD

Sommaire

Pour entrer dans l'œuvre   6

Chapitre I. Jugement du Voyage de Bougainville   11
Arrêt sur lecture 1   20

Chapitre II. Les adieux du vieillard   25
Arrêt sur lecture 2   33

Chapitre III. L'entretien de l'aumônier et d'Orou   39
Arrêt sur lecture 3   55

Chapitre IV. Suite de l'entretien de l'aumônier
avec l'habitant d'Otaïti   61
Chapitre V. Suite du dialogue entre A et B   71
Arrêt sur lecture 4   84

Le tour de l'œuvre en 9 fiches

Fiche 1. Diderot en 20 dates   90

Fiche 2. L'œuvre dans son contexte   91

Fiche 3. La structure de l'œuvre   92

Fiche 4. Les grands thèmes de l'œuvre   95

Fiche 5. Une réflexion sur l'Homme   97

Fiche 6. Une œuvre inclassable?   99

Fiche 7. Les Lumières   103

Fiche 8. Du *Voyage autour du monde* au *Supplément*   105

Fiche 9. Citations   107

Groupements de textes

Groupement 1. L'utopie au XVIIIᵉ siècle   109

Groupement 2. Regards sur l'autre   116

Questions sur les groupements de textes   126

Vers l'écrit du Bac

Corpus. La voix de l'oppressé   127

Questions sur le corpus et travaux d'écriture   134

Fenêtres sur...

Des ouvrages à lire, un téléfilm et des films à voir,
des sites Internet à consulter   135

Glossaire

                                                              137

Pour entrer dans l'œuvre

Le *Supplément au Voyage de Bougainville* est publié en 1773 : un an après la fin de la publication de l'*Encyclopédie*, un an avant que Louis XVI n'accède au pouvoir et que ne se termine une période de prospérité, de relative liberté et de création artistique. Déjà l'enthousiasme des philosophes des Lumières se teinte d'une sensibilité qui s'accomplira dans le romantisme, déjà une crise de régime et le mécontentement du peuple se profilent.

L'enthousiasme pour les récits de voyage se comprend alors d'autant mieux. En rentrant de Tahiti en 1769, non seulement Bougainville ramène Aoutourou, qui fut la coqueluche des salons mondains, mais il décrit à ses contemporains un ailleurs où règne un bonheur simple en accord avec la nature. Plus que tout, il redonne vie au mythe du bon sauvage. En effet, le temps des grandes découvertes est depuis longtemps terminé et les peuples ont désormais subi l'influence de leurs colonisateurs. Le voyage de Bougainville ouvre donc sur un espace géographique nouveau et imaginaire. Quand, deux ans après son retour, il publie son *Voyage autour du monde*, il suscite alors un véritable engouement.

Grimm, propriétaire de la revue clandestine la *Correspondance littéraire*, dont quelques exemplaires manuscrits étaient envoyés aux souverains et princes éclairés, souhaite publier un compte rendu de cette œuvre. C'est à Diderot qu'il confie la tâche. Le philosophe se laisse emporter par le sujet, multiplie les adresses au voyageur et l'exhorte à préserver les Tahitiens de la culture européenne. L'article ne paraît pas mais Diderot reprend son texte et le développe en s'éloignant du compte rendu originel. Il l'insère alors dans une réflexion plus vaste qui s'étend sur trois contes : *Ceci n'est pas un conte*, *Madame de La Carlière* et le *Supplément au Voyage de Bougainville*, qui s'interrogent tous trois sur la « morale sexuelle », sur la part des conventions réglant les échanges amoureux.

Le *Supplément au Voyage de Bougainville* est représentatif de l'œuvre de Diderot : hétéroclite, diversifiée, plaisante, légère et philosophique. Dans ce texte, le philosophe cherche à divertir son lecteur comme dans un conte et à le faire réfléchir comme dans un dialogue philosophique. Le *Supplément au Voyage de Bougainville* ne sera diffusé qu'à un public restreint, pour ne pas dire confidentiel, et ne sera publié qu'après la mort de Diderot. Parce que la critique du mariage et la mise en cause de la civilisation éclipsent la conclusion conservatrice sur laquelle se quittent les deux interlocuteurs, les révolutionnaires ont lu le dialogue de Diderot comme une dénonciation de la famille et de la société et ont associé le philosophe à leur élan libertaire.

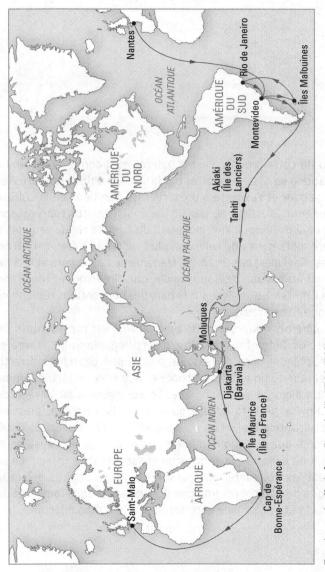

Tour du monde effectué par Bougainville (1766-1769).

Supplément
au Voyage de Bougainville
ou
Dialogue entre A et B
sur l'inconvénient d'attacher des idées
morales à certaines actions physiques
qui n'en comportent pas.

At quanto meliora monet, pugnantiaque istis
Dives opis natura suae : tu si modo recte
Dispensare velis, ac non fugienda petendis
Immiscere ; tuo vitio, rerumne labores
Nil referre putas ?

HORAT[1], *Sat.*, lib. I, ii.

---

1. « Ah! combien meilleurs, combien opposés à de tels principes sont les avis de
la nature, assez riche de son propre fonds si seulement tu veux en bien dispenser
les ressources et ne pas mêler ensemble ce qu'on doit fuir, ce qu'on doit rechercher.
Crois-tu qu'il soit indifférent que tu souffres par ta faute ou par celle des choses ? »
(Horace, *Satires*, trad. François Villeneuve, Les Belles Lettres, 1932).

Chapitre I

Jugement
du Voyage de Bougainville

A. – Cette superbe voûte étoilée sous laquelle nous revînmes hier et qui semblait nous garantir un beau jour, ne nous a pas tenu parole.

B. – Qu'en savez-vous ?

5 **A.** – Le brouillard est si épais qu'il nous dérobe la vue des arbres voisins.

B. – Il est vrai ; mais si ce brouillard, qui ne reste dans la partie inférieure de l'atmosphère[1] que parce qu'elle est suffisamment chargée d'humidité, retombe sur la terre ?

10 **A.** – Mais si au contraire il traverse l'éponge[2], s'élève et gagne la région supérieure où l'air est moins dense et peut, comme disent les chimistes, n'être pas saturé[3] ?

B. – Il faut attendre.

A. – En attendant, que faites-vous ?

15 **B.** – Je lis.

A. – Toujours ce *Voyage de Bougainville*[4] ?

B. – Toujours.

---

1. Atmosphère : couche de gaz présente autour de la terre.
2. Éponge : partie inférieure de l'atmosphère gorgée d'eau.
3. Saturé : imprégné complètement.
4. *Voyage de Bougainville* : récit du voyage autour du monde de Bougainville paru en 1771.

A. – Je n'entends rien à[1] cet homme-là. L'étude des mathématiques qui suppose une vie sédentaire a rempli le temps de ses jeunes années
20 et voilà qu'il passe subitement d'une condition méditative et retirée au métier actif, pénible, errant et dissipé de voyageur.

B. – Nullement ; si le vaisseau n'est qu'une maison flottante, et si vous considérez le navigateur qui traverse des espaces immenses, resserré et immobile dans une enceinte assez étroite, vous le verrez
25 faisant le tour du globe sur une planche, comme vous et moi le tour de l'univers sur notre parquet.

A. – Une autre bizarrerie apparente, c'est la contradiction du caractère de l'homme et de son entreprise. Bougainville a le goût des amusements de la société. Il aime les femmes, les spectacles, les
30 repas délicats. Il se prête au tourbillon du monde d'aussi bonne grâce qu'aux inconstances de l'élément sur lequel il a été ballotté. Il est aimable et gai. C'est un véritable Français, lesté d'un bord d'un *Traité de calcul différentiel et intégral*[2], et de l'autre d'un *Voyage autour du globe*.

35 **B.** – Il fait comme tout le monde : il se dissipe après s'être appliqué, et s'applique après s'être dissipé.

A. – Que pensez-vous de son *Voyage* ?

B. – Autant que j'en puis juger sur une lecture assez superficielle, j'en rapporterais l'avantage à trois points principaux. Une meilleure
40 connaissance de notre vieux domicile[3] et de ses habitants ; plus de sûreté sur des mers qu'il a parcourues la sonde[4] à la main ; et plus de correction dans nos cartes géographiques. Bougainville est parti avec les lumières nécessaires et les qualités propres à ses vues : de la philosophie, du courage, de la véracité, un coup d'œil

---

1. **Je n'entends rien à :** je ne comprends pas.
2. *Traité de calcul différentiel et intégral* **:** titre d'un traité de mathématiques dont Bougainville est l'auteur.
3. **Notre vieux domicile :** la terre.
4. **Sonde :** corde chargée d'un plomb qui permet de savoir à quelle profondeur se trouve le fond des mers.

45 prompt qui saisit les choses et abrège le temps des observations ; de
la circonspection[1], de la patience, le désir de voir, de s'éclairer et
d'instruire, la science du calcul, des mécaniques, de la géométrie,
de l'astronomie, et une teinture suffisante d'histoire naturelle.

A. – Et son style ?

50 **B.** – Sans apprêt, le ton de la chose ; de la simplicité et de la clarté,
surtout quand on possède la langue des marins[2].

A. – Sa course a été longue ?

B. – Je l'ai tracée sur ce globe. Voyez-vous cette ligne de points
rouges ?

55 **A.** – Qui part de Nantes ?

B. – Et court jusqu'au détroit de Magellan, entre dans la mer Pacifique, serpente entre ces îles qui forment l'archipel immense qui
s'étend des Philippines à la Nouvelle-Hollande[3], rase Madagascar,
le cap de Bonne-Espérance, se prolonge dans l'Atlantique, suit les
60 côtes d'Afrique, et rejoint l'une de ses extrémités à celle d'où le
navigateur s'est embarqué.

A. – Il a beaucoup souffert ?

B. – Tout navigateur s'expose et consent de s'exposer aux périls de
l'air, du feu, de la terre et de l'eau ; mais qu'après avoir erré des mois
65 entiers entre la mer et le ciel, entre la mort et la vie, après avoir été
battu des tempêtes, menacé de périr par naufrage, par maladie, par
disette d'eau et de pain, un infortuné vienne, son bâtiment fracassé,
tomber expirant de fatigue et de misère aux pieds d'un monstre
d'airain[4] qui lui refuse ou lui fait attendre impitoyablement les
70 secours les plus urgents, c'est une dureté !…

---

1. Circonspection : prudence.
2. La langue des marins : le vocabulaire technique de la mer.
3. Nouvelle-Hollande : Australie.
4. Monstre d'airain : allusion aux difficultés faites par le vice-roi du Brésil pour
secourir des vaisseaux espagnols en détresse, les deux nations se disputant alors
certains territoires en Amérique du Sud.

A. – Un crime digne de châtiment.

B. – Une de ces calamités sur laquelle le voyageur n'a pas compté.

A. – Et n'a pas dû compter. Je croyais que les puissances européennes
75 n'envoyaient pour commandants dans leurs possessions d'outre-mer que des âmes honnêtes, des hommes bienfaisants, des sujets remplis d'humanité et capables de compatir…

B. – C'est bien là ce qui les soucie !

A. – Il y a des choses singulières dans ce *Voyage* de Bougainville.

80 **B.** – Beaucoup.

A. – N'assure-t-il pas que les animaux sauvages s'approchent de l'homme, et que les oiseaux viennent se poser sur lui, lorsqu'ils ignorent le péril de cette familiarité ?

B. – D'autres l'avaient dit avant lui.

85 **A.** – Comment explique-t-il le séjour de certains animaux dans des îles séparées de tout continent par des intervalles de mer effrayants ? Qui est-ce qui a porté là le loup, le renard, le chien, le cerf, le serpent ?

B. – Il n'explique rien, il atteste le fait.

90 **A.** – Et vous, comment l'expliquez-vous ?

B. – Qui sait l'histoire primitive de notre globe ? combien d'espaces de terre maintenant isolés, étaient autrefois continus ? Le seul phénomène sur lequel on pourrait former quelque conjecture[1], c'est la direction de la masse des eaux qui les a séparés.

95 **A.** – Comment cela ?

B. – Par la forme générale des arrachements[2]. Quelque jour nous nous amuserons de cette recherche, si cela nous convient. Pour ce

---

1. Conjecture : hypothèse.
2. Arrachements : détachements. Une hypothèse scientifique veut que les Îles malouines se soient détachées de l'Amérique du Sud.

moment, voyez-vous cette île qu'on appelle *des Lanciers*[1] ? À l'inspection du lieu qu'elle occupe sur le globe, il n'est personne qui ne se demande : Qui est-ce qui a placé là des hommes ? Quelle communication les liait autrefois avec le reste de leur espèce ? Que deviennent-ils en se multipliant sur un espace qui n'a pas plus d'une lieue[2] de diamètre ?

A. – Ils s'exterminent et se mangent ; et de là peut-être une première époque très ancienne et très naturelle de l'anthropophagie, insulaire d'origine.

B. – Ou la multiplication y est limitée par quelque loi superstitieuse : l'enfant y est écrasé dans le sein de sa mère foulée sous les pieds d'une prêtresse.

A. – Ou l'homme égorgé expire sous le couteau d'un prêtre. Ou l'on a recours à la castration des mâles…

B. – À l'infibulation[3] des femelles ; et de là tant d'usages d'une cruauté nécessaire et bizarre, dont la cause s'est perdue dans la nuit des temps et met les philosophes à la torture. Une observation assez constante, c'est que les institutions surnaturelles et divines se fortifient et s'éternisent en se transformant à la longue en lois civiles et nationales, et que les institutions civiles et nationales se consacrent et dégénèrent en préceptes surnaturels et divins.

A. – C'est une des palingénésies[4] les plus funestes.

B. – Un brin de plus qu'on ajoute au lien dont on nous serre.

A. – N'était-il pas au Paraguay au moment même de l'expulsion des jésuites[5] ?

---

1. Île des Lanciers : nom donné par Bougainville à Akiaki.
2. Une lieue : environ 4 kilomètres.
3. Infibulation : opération qui consiste à fermer les orifices génitaux des femmes pour empêcher les rapports sexuels.
4. Palingénésies : régénérations, renaissances.
5. L'expulsion des jésuites : à partir de 1580, des jésuites sont envoyés au Paraguay pour convertir et diriger les Indiens Guaranis ; ils établissent une forme de théocratie. Le roi d'Espagne les fera chasser en 1766.

B. – Oui.

A. – Qu'en dit-il?

125 **B.** – Moins qu'il n'en pourrait dire, mais assez pour nous apprendre que ces cruels Spartiates en jaquette noire[1] en usaient avec leurs esclaves indiens comme les Lacédémoniens[2] avec les ilotes[3], les avaient condamnés à un travail assidu, s'abreuvaient de leurs sueurs, ne leur avaient laissé aucun droit de propriété, les tenaient sous

130 l'abrutissement de la superstition, en exigeaient une vénération profonde, marchaient au milieu d'eux un fouet à la main et en frappaient indistinctement tout âge et tout sexe. Un siècle de plus et leur expulsion devenait impossible ou le motif d'une longue guerre entre ces moines et le souverain dont ils avaient secoué peu

135 à peu l'autorité.

A. – Et ces Patagons[4] dont le docteur Maty et l'académicien La Condamine[5] ont tant fait de bruit?

B. – Ce sont de bonnes gens qui viennent à vous et qui vous embrassent en criant *Chaoua*, forts, vigoureux, toutefois n'excédant pas la

140 hauteur de cinq pieds cinq à six pouces[6], n'ayant d'énorme que leur corpulence, la grosseur de leur tête et l'épaisseur de leurs membres.

A. – Né avec le goût du merveilleux qui exagère tout autour de lui, comment l'homme laisserait-il une juste proportion aux objets,

145 lorsqu'il a pour ainsi dire à justifier le chemin qu'il a fait et la peine qu'il s'est donnée pour les aller voir au loin? Et des sauvages, qu'en pense-t-il?

---

1. Ces cruels Spartiates en jaquette noire : périphrase désignant les jésuites.
2. Lacédémoniens : anciens Spartiates.
3. Ilotes : esclaves à Sparte.
4. Patagons : Indiens décrits par le Capitaine Byron comme des géants de 2 m 50.
5. Maty et La Condamine : savants anglais et français, qui ont pris part au débat sur l'existence de géants.
6. Cinq pieds cinq à six pouces : environ 1 m 75. Bougainville récuse le gigantisme des Patagons en disant n'avoir pas vu d'hommes dont la taille excédait 1 m 90.

B. – C'est, à ce qu'il paraît, de la défense journalière contre les bêtes féroces qu'il tient le caractère cruel qu'on lui remarque quelquefois ;
150 il est innocent et doux partout où rien ne trouble son repos et sa sécurité. Toute guerre naît d'une prétention commune à la même propriété. L'homme civilisé a une prétention commune avec l'homme civilisé à la possession d'un champ dont ils occupent les deux extrémités, et ce champ devient un sujet de dispute entre eux.

155 **A.** – Et le tigre a une prétention commune avec l'homme sauvage à la possession d'une forêt ; et c'est la première des prétentions et la cause de la plus ancienne des guerres. Avez-vous vu l'Otaïtien[1] que Bougainville avait pris sur son bord et transporté dans ce pays-ci ?

B. – Je l'ai vu ; il s'appelait Aotourou. À la première terre qu'il aperçut,
160 il la prit pour la patrie du voyageur, soit qu'on lui en eût imposé[2] sur la longueur du voyage, soit que, trompé naturellement par le peu de distance apparente des bords de la mer qu'il habitait, à l'endroit où le ciel semble confiner avec l'horizon, il ignorât la véritable étendue de la terre. L'usage commun des femmes était si bien
165 établi dans son esprit qu'il se jeta sur la première Européenne qui vint à sa rencontre, et qu'il se disposait très sérieusement à lui faire la politesse d'Otaïti. Il s'ennuyait parmi nous[3]. L'alphabet otaïtien n'ayant ni b, ni c, ni d, ni f, ni g, ni q, ni x, ni y, ni z, il ne put jamais apprendre à parler notre langue qui offrait à ses organes inflexibles
170 trop d'articulations étrangères et de sons nouveaux. Il ne cessait de soupirer après son pays, et je n'en suis pas étonné. Le *Voyage* de Bougainville est le seul qui m'ait donné du goût pour une autre contrée que la mienne. Jusqu'à cette lecture, j'avais pensé qu'on n'était nulle part aussi bien que chez soi, résultat que je croyais le
175 même pour chaque habitant de la terre, effet naturel de l'attrait du sol, attrait qui tient aux commodités[4] dont on jouit et qu'on n'a pas la même certitude de retrouver ailleurs.

---

1. **Otaïtien :** Tahitien.
2. **Qu'on lui en eût imposé :** qu'on l'eût abusé.
3. Bougainville dit le contraire.
4. **Commodités :** confort.

A. – Quoi ! vous ne croyez pas l'habitant de Paris aussi convaincu qu'il croisse des épis dans la campagne de Rome que dans les champs de la Beauce ?

B. – Ma foi non. Bougainville a renvoyé Aotourou après avoir pourvu aux frais et à la sûreté de son retour[1].

A. – Ô Aotourou, que tu seras content de revoir ton père, ta mère, tes frères, tes sœurs, tes compatriotes ! Que leur diras-tu de nous ?

B. – Peu de choses, et qu'ils ne croiront pas.

A. – Pourquoi peu de choses ?

B. – Parce qu'il en a peu conçues, et qu'il ne trouvera dans sa langue aucun terme correspondant à celles dont il a quelques idées.

A. – Et pourquoi ne le croiront-ils pas ?

B. – Parce qu'en comparant leurs mœurs aux nôtres, ils aimeront mieux prendre Aotourou pour un menteur que de nous croire si fous.

A. – En vérité ?

B. – Je n'en doute pas. La vie sauvage est si simple, et nos sociétés sont des machines si compliquées ! L'Otaïtien touche à l'origine du monde, et l'Européen touche à sa vieillesse. L'intervalle qui le sépare de nous est plus grand que la distance de l'enfant qui naît à l'homme décrépit. Il n'entend rien à nos usages, à nos lois, ou il n'y voit que des entraves déguisées sous cent formes diverses, entraves qui ne peuvent qu'exciter l'indignation et le mépris d'un être en qui le sentiment de la liberté est le plus profond des sentiments.

A. – Est-ce que vous donneriez dans la fable d'Otaïti ?

B. – Ce n'est point une fable, et vous n'auriez aucun doute sur la sincérité de Bougainville, si vous connaissiez le *Supplément* de son *Voyage*.

---

1. Comme promis, Bougainville le fait ramener chez lui à ses frais mais il meurt au cours du voyage en 1771.

A. – Et où trouve-t-on ce *Supplément*?

B. – Là, sur cette table.

A. – Est-ce que vous ne me le confieriez pas?

B. – Non, mais nous pourrons le parcourir ensemble, si vous
210 voulez.

A. – Assurément, je le veux. Voilà le brouillard qui retombe et l'azur
du ciel qui commence à paraître. Il semble que mon lot soit d'avoir
tort avec vous jusque dans les moindres choses. Il faut que je sois
bien bon pour vous pardonner une supériorité aussi continue.

215 **B.** – Tenez, tenez, lisez. Passez ce préambule[1] qui ne signifie rien,
et allez droit aux adieux que fit un des chefs de l'île à nos voyageurs. Cela vous donnera quelque notion de l'éloquence de ces
gens-là.

A. – Comment Bougainville a-t-il compris ces adieux prononcés
220 dans une langue qu'il ignorait?

B. – Vous le saurez.

---

1. Diderot renvoie ironiquement au passage que le lecteur vient de lire.

Pour comprendre l'essentiel

Le dialogue philosophique entre A et B

❶ Diderot fait débuter son œuvre au milieu d'une conversation entre deux personnages. Dites pourquoi Diderot a choisi d'appeler les protagonistes A et B et déduisez qui ils sont (le lieu où ils vivent, leur statut social et les livres qu'ils lisent).

❷ Le lecteur assiste à un glissement dans la conversation entre A et B. Repérez les sujets abordés et montrez que la conversation se fait de plus en plus abstraite.

❸ A et B ne se partagent pas la parole de manière équilibrée. Faites apparaître ce déséquilibre en relevant des exemples et dites pour quelles raisons l'un des deux personnages domine l'échange.

Un récit de voyage et son *Supplément*

❹ Bougainville effectue un tour du monde entre 1766 et 1769. À l'aide du texte et de la carte (p. 8), faites la liste des étapes de son voyage.

❺ B lit le *Voyage autour du monde*, récit de voyage que Bougainville a écrit au retour de son tour du monde. Faites le portrait de ce navigateur à partir des informations données dans le texte, puis complétez-le en effectuant des recherches dans une encyclopédie ou sur Internet.

❻ B renvoie à un second ouvrage, le *Supplément au Voyage de Bougainville*, dont il propose à A de lire des extraits. Cherchez dans un dictionnaire les sens du mot *supplément*, puis choisissez la définition qui correspond à l'ouvrage Diderot.

Un jeu pour éveiller l'esprit critique du lecteur

❼ La forme du dialogue permet d'aborder une multitude de sujets. Relevez les nombreux sujets abordés par A et B, puis définissez ce qui vous paraît être la question essentielle de ce premier chapitre.

❽ C'est seulement à la fin du chapitre I que commence véritablement le *Supplément au Voyage de Bougainville*. Dites comment Diderot en introduit la lecture et montrez en quoi il s'agit d'un jeu avec le lecteur.

Rappelez-vous !

• Le *Supplément* s'ouvre sur un dialogue entre A et B, deux Européens qui discutent du *Voyage autour du monde*, récit de voyage écrit par Bougainville. Le premier chapitre se présente comme un préambule qui introduit à la lecture que A et B feront ensemble d'extraits d'un second livre : le *Supplément*, qui doit démontrer à A que le mode de vie idéal des Tahitiens n'est pas une fable. Diderot joue alors avec son lecteur par l'emploi d'une **mise en abyme** : le *Supplément* est un livre dans le livre.

• Le choix du **dialogue** pour débuter le *Supplément* permet d'intégrer la réflexion de Diderot à la **conversation** de deux personnages cultivés. De plus, cette forme **divertissante** modère le caractère sérieux d'une œuvre qui traite de questions philosophiques. Le dialogue est, en outre, une forme dynamique qui donne à voir un **esprit critique en action**.

Vers l'oral du Bac

Analyse du chapitre I, l. 183-221, p. 18-19

☞ Montrer comment Diderot remet en cause le modèle européen

Conseils pour la lecture à voix haute

– Ce passage ne présente pas de difficultés particulières mais il convient de ne pas en donner une lecture trop monotone.

– L'aspect vivant de l'échange sera souligné par un ton qui tiendra compte des variations des types de phrases et de l'alternance de la prise de parole entre A et B. Il vous faudra lire le nom de chacun de ces personnages avant de lire sa réplique.

Analyse du texte

▨ Introduction rédigée

Le *Supplément au Voyage de Bougainville* s'ouvre sur un dialogue entre A et B, deux personnages cultivés. Après avoir commenté le temps qu'il fait, B présente le livre qu'il lit à A : il s'agit du *Voyage autour du monde* de Bougainville, œuvre écrite par le navigateur à son retour de Tahiti après plus de deux ans de voyage. La présentation se fait librement au rythme et au gré des questions de A qui semble sceptique et ne veut pas donner « dans la fable d'Otaïti ». B défend la bonne foi de Bougainville et, pour ce faire, s'appuie sur le *Supplément*. C'est cet ajout à l'œuvre de Bougainville qui doit amener A à se faire une idée juste de Tahiti et de ses habitants et, par un effet de miroir, à jeter un regard neuf sur l'Europe, sa culture et ses valeurs. Le *Supplément au Voyage de Bougainville* se présente comme une œuvre qui, en examinant la vie des Tahitiens, s'interroge sur les valeurs de la civilisation européenne.

Diderot invite donc le lecteur, à partir de l'incompatibilité entre les deux cultures, à mettre en cause le modèle européen.

■ *Analyse guidée*

I. Le regard de l'autre

a. A donne à voir le point de vue des Européens : leur mode de vie est supérieur à celui des civilisations plus proches de la nature. En relevant les phrases interrogatives, faites apparaître l'étonnement de A qui considère comme impossible de remettre en question sa civilisation. Définissez alors son rôle dans le dialogue.

b. À l'inverse, B montre que les Tahitiens ne peuvent pas concevoir ce que sont les mœurs européennes. En analysant les types de phrases et leur construction, montrez que l'incompréhension des Tahitiens permet de projeter un regard critique sur la civilisation européenne.

c. Les points de vue de A et B divergent. Présentez la thèse que chacun d'eux défend et montrez quelle est la thèse mise en valeur par Diderot.

II. La critique de la civilisation européenne

a. B compare la « vie sauvage » et les sociétés civilisées. Relevez les oppositions et indiquez les divergences entre les deux civilisations.

b. Diderot emploie une comparaison pour souligner cette différence. Analysez-la pour montrer comment Diderot suggère ainsi que la civilisation européenne est sur le déclin.

c. A évoque ensuite la disparition du brouillard. Montrez que cette disparition a deux fonctions : la première, dans le dialogue entre A et B lui-même ; la seconde, symbolique, dans l'ensemble du *Supplément*.

■ *Conclusion rédigée*

La fin de ce premier chapitre joue plusieurs rôles. Elle sert de transition entre une présentation de l'œuvre de Bougainville et son commentaire, le *Supplément*. Elle définit également un cadre et un horizon de pensée dans lesquels vont s'inscrire les chapitres suivants. Enfin, elle fait office de préface dans laquelle Diderot annonce son projet. En multipliant les niveaux d'énonciation, Diderot cherche à déconcerter le lecteur et à éveiller son esprit critique. En cela, il est un auteur de son temps, qui incite le lecteur à élaborer son propre point de vue.

Les trois questions de l'examinateur

Question 1. Quelles sont les différentes fonctions du dialogue du premier chapitre?

Question 2. En quoi ce texte est-il une réflexion concrète s'appuyant sur des exemples et des situations précises?

Question 3. En quoi ce texte est-il représentatif de l'esprit des Lumières?

Chapitre II

Les adieux du vieillard

C'est un vieillard qui parle ; il était père d'une famille nombreuse. À l'arrivée des Européens, il laissa tomber des regards de dédain sur eux, sans marquer ni étonnement, ni frayeur, ni curiosité. Ils l'abordèrent, il leur tourna le dos et se retira dans sa cabane. Son
5 silence et son souci ne décelaient que trop sa pensée : il gémissait en lui-même sur les beaux jours de son pays éclipsés. Au départ de Bougainville, lorsque les habitants accouraient en foule sur le rivage, s'attachaient à ses vêtements, serraient ses camarades entre leurs bras et pleuraient, ce vieillard s'avança d'un air sévère et dit :
10 « Pleurez, malheureux Otaïtiens, pleurez, mais que ce soit de l'arrivée et non du départ de ces hommes ambitieux et méchants. Un jour vous les connaîtrez mieux. Un jour ils reviendront, le morceau de bois[1] que vous voyez attaché à la ceinture de celui-ci dans une main, et le fer[2] qui pend au côté de celui-là dans l'autre, vous
15 enchaîner, vous égorger ou vous assujettir à leurs extravagances et à leurs vices. Un jour vous servirez sous eux, aussi corrompus, aussi vils, aussi malheureux qu'eux. Mais je me console, je touche à la fin de ma carrière[3], et la calamité que je vous annonce, je ne la verrai point. Ô Otaïtiens, ô mes amis, vous auriez un moyen d'échapper
20 à un funeste avenir, mais j'aimerais mieux mourir que de vous en donner le conseil[4]. Qu'ils s'éloignent et qu'ils vivent. »

---

1. Le morceau de bois : la croix du prêtre.
2. Le fer : l'épée du conquérant.
3. Ma carrière : ma vie.
4. Le conseil : le conseil de les massacrer pour que l'existence de leur île ne soit pas connue.

Puis s'adressant à Bougainville, il ajouta :

« Et toi, chef des brigands qui t'obéissent, écarte promptement ton vaisseau de notre rive. Nous sommes innocents[1], nous sommes
25   heureux, et tu ne peux que nuire à notre bonheur. Nous suivons le pur instinct de la nature, et tu as tenté d'effacer de nos âmes son caractère. Ici tout est à tous, et tu nous as prêché je ne sais quelle distinction du *tien* et du *mien*[2]. Nos filles et nos femmes nous sont communes, tu as partagé ce privilège avec nous, et tu es venu allu-
30   mer en elles des fureurs inconnues. Elles sont devenues folles dans tes bras, tu es devenu féroce entre les leurs ; elles ont commencé à se haïr ; vous vous êtes égorgés pour elles, et elles nous sont revenues teintes de votre sang. Nous sommes libres, et voilà que tu as enfoui dans notre terre le titre de notre futur esclavage[3]. Tu n'es ni un
35   dieu ni un démon, qui es-tu donc pour faire des esclaves ? Orou, toi qui entends la langue de ces hommes-là, dis-nous à tous, comme tu me l'as dit à moi-même, ce qu'ils ont écrit sur cette lame de métal : *Ce pays est à nous.* Ce pays est à toi ! et pourquoi ? Parce que tu y as mis le pied ! Si un Otaïtien débarquait un jour sur vos côtes
40   et qu'il gravât sur une de vos pierres ou sur l'écorce d'un de vos arbres : *Ce pays est aux habitants d'Otaïti*, qu'en penserais-tu ? Tu es le plus fort, et qu'est-ce que cela fait ? Lorsqu'on t'a enlevé une des méprisables bagatelles[4] dont ton bâtiment est rempli, tu t'es récrié, tu t'es vengé, et dans le même instant tu as projeté au fond de ton
45   cœur le vol de toute une contrée ! Tu n'es pas esclave, tu souffrirais plutôt la mort que de l'être, et tu veux nous asservir ! Tu crois donc que l'Otaïtien ne sait pas défendre sa liberté et mourir ? Celui dont tu veux t'emparer comme de la brute[5], l'Otaïtien est ton frère ; vous êtes deux enfants de la nature ; quel droit as-tu sur lui qu'il n'ait

---

1. Innocents : purs, incapables de commettre le mal.
2. Distinction du *tien* et du *mien* : référence à la notion de propriété, qui n'existe pas chez les Tahitiens.
3. Bougainville a effectivement enterré un acte de prise de possession de Tahiti avant son départ.
4. Bagatelles : objets de peu de valeur.
5. Brute : animal.

50 pas sur toi ? Tu es venu, nous sommes-nous jetés sur ta personne ? Avons-nous pillé ton vaisseau ? T'avons-nous saisi et exposé aux flèches de nos ennemis ? T'avons-nous associé dans nos champs au travail de nos animaux ? Nous avons respecté notre image en toi. Laisse-nous nos mœurs, elles sont plus sages et plus honnêtes que

55 les tiennes. Nous ne voulons point troquer ce que tu appelles notre ignorance contre tes inutiles lumières. Tout ce qui nous est nécessaire et bon nous le possédons. Sommes-nous dignes de mépris parce que nous n'avons pas su nous faire des besoins superflus ? Lorsque nous avons faim, nous avons de quoi manger ; lorsque nous

60 avons froid, nous avons de quoi nous vêtir. Tu es entré dans nos cabanes, qu'y manque-t-il à ton avis ? Poursuis jusqu'où tu voudras ce que tu appelles commodités de la vie, mais permets à des êtres sensés de s'arrêter, lorsqu'ils n'auraient à obtenir de la continuité de leurs pénibles efforts que des biens imaginaires. Si tu nous per-

65 suades de franchir l'étroite limite du besoin, quand finirons-nous de travailler, quand jouirons-nous ? Nous avons rendu la somme de nos fatigues annuelles et journalières la moindre qu'il était possible, parce que rien ne nous paraît préférable au repos. Va dans ta contrée t'agiter, te tourmenter tant que tu voudras. Laisse-nous reposer ; ne

70 nous entête ni de tes besoins factices[1], ni de tes vertus chimériques[2]. Regarde ces hommes, vois comme ils sont droits, sains et robustes ; regarde ces femmes, vois comme elles sont droites, saines, fraîches et belles. Prends cet arc, c'est le mien, appelle à ton aide un, deux, trois, quatre de tes camarades, et tâchez de le tendre. Je le tends

75 moi seul ; je laboure la terre ; je grimpe la montagne ; je perce[3] la forêt ; je parcours une lieue de la plaine en moins d'une heure ; tes jeunes compagnons ont eu peine à me suivre, et j'ai quatre-vingt-dix ans passés. Malheur à cette île ! malheur aux Otaïtiens présents et à tous les Otaïtiens à venir, du jour où tu nous as visités ! Nous ne

80 connaissions qu'une maladie, celle à laquelle l'homme, l'animal et

---

1. Factices : artificiels.
2. Chimériques : imaginaires.
3. Je perce : je passe à travers.

la plante ont été condamnés, la vieillesse, et tu nous en as apporté une autre[1] ; tu as infecté notre sang. Il nous faudra peut-être exterminer de nos propres mains nos filles, nos femmes, nos enfants, ceux qui ont approché tes femmes, celles qui ont approché tes
85 hommes. Nos champs seront trempés du sang impur qui a passé de tes veines dans les nôtres, ou nos enfants condamnés à nourrir et à perpétuer le mal que tu as donné aux pères et aux mères et qu'ils transmettront à jamais à leurs descendants. Malheureux ! tu seras coupable ou des ravages qui suivront les funestes caresses des
90 tiens, ou des meurtres que nous commettrons pour en arrêter le poison. Tu parles de crimes, as-tu l'idée d'un plus grand crime que le tien ? Quel est chez toi le châtiment de celui qui tue son voisin ? La mort par le fer. Quel est chez toi le châtiment du lâche qui l'empoisonne ? La mort par le feu. Compare ton forfait à ce dernier,
95 et dis-nous, empoisonneur de nations, le supplice que tu mérites. Il n'y a qu'un moment la jeune Otaïtienne s'abandonnait avec transport aux embrassements du jeune Otaïtien ; elle attendait avec impatience que sa mère, autorisée par l'âge nubile[2], relevât son voile et mit sa gorge à nu ; elle était fière d'exciter les désirs et
100 d'irriter les regards amoureux de l'inconnu, de ses parents, de son frère ; elle acceptait sans frayeur et sans honte, en notre présence, au milieu d'un cercle d'innocents Otaïtiens, au son des flûtes, entre les danses, les caresses de celui que son jeune cœur et la voix secrète de ses sens lui désignaient. L'idée du crime et le péril de la maladie
105 sont entrés avec toi parmi nous. Nos jouissances autrefois si douces sont accompagnées de remords et d'effroi. Cet homme noir[3] qui est près de toi, qui m'écoute, a parlé à nos garçons ; je ne sais ce qu'il a dit à nos filles, mais nos garçons hésitent, mais nos filles rougissent. Enfonce-toi, si tu veux, dans la forêt obscure avec la
110 compagne perverse de tes plaisirs, mais accorde aux bons et simples

---

1. Les Européens ont transmis aux Tahitiens des maladies sexuellement transmissibles, la syphilis en particulier.
2. Âge nubile : âge de se marier.
3. Cet homme noir : l'aumônier.

Otaïtiens de se reproduire sans honte, à la face du ciel et au grand jour. Quel sentiment plus honnête et plus grand pourrais-tu mettre à la place de celui que nous leur avons inspiré et qui les anime ? Ils pensent que le moment d'enrichir la nation et la famille d'un nou-
115 veau citoyen est venu, et ils s'en glorifient. Ils mangent pour vivre et pour croître ; ils croissent pour multiplier, et ils n'y trouvent ni vice ni honte. Écoute la suite de tes forfaits : à peine t'es-tu montré parmi eux, qu'ils sont devenus voleurs. À peine es-tu descendu dans notre terre, qu'elle a fumé de sang. Cet Otaïtien qui courut à ta
120 rencontre, qui t'accueillit, qui te reçut en criant *Taïo ! ami, ami*, vous l'avez tué. Et pourquoi l'avez-vous tué ? Parce qu'il avait été séduit par l'éclat de tes petits œufs de serpent[1]. Il te donnait ses fruits, il t'offrait sa femme et sa fille, il te cédait sa cabane, et tu l'as tué pour une poignée de ces grains qu'il avait pris sans te les demander. Au
125 bruit de ton arme meurtrière, la terreur s'est emparée de lui et il s'est enfui dans la montagne ; mais crois qu'il n'aurait pas tardé d'en descendre, crois qu'en un instant, sans moi, vous périssiez tous. Eh ! pourquoi les ai-je apaisés ? pourquoi les ai-je contenus ? pourquoi les contiens-je encore dans ce moment ? Je l'ignore, car
130 tu ne mérites aucun sentiment de pitié, car tu as une âme féroce qui ne l'éprouva jamais. Tu t'es promené toi et les tiens dans notre île, tu as été respecté, tu as joui de tout, tu n'as trouvé sur ton chemin ni barrière ni refus. On t'invitait, tu t'asseyais, on étalait devant toi l'abondance du pays. As-tu voulu de jeunes filles ? excepté celles
135 qui n'ont pas encore le privilège de montrer leur visage et leur gorge, les mères t'ont présenté les autres toutes nues ; te voilà possesseur de la tendre victime du devoir hospitalier[2] ; on a jonché pour elle et pour toi la terre de feuilles et de fleurs ; les musiciens ont accordé leurs instruments, rien n'a troublé la douceur ni gêné
140 la liberté de tes caresses et des siennes[3]. On a chanté l'hymne,

---

1. Petits œufs de serpent : perles en verre qui servaient de monnaie d'échange.
2. Te voilà possesseur de la tendre victime du devoir hospitalier : tu as joui de la femme que tu désirais.
3. Cérémonial qui accompagne l'acte sexuel chez les Tahitiens.

l'hymne qui t'exhortait[1] à être homme, qui exhortait notre enfant à être femme et femme complaisante et voluptueuse. On a dansé autour de votre couche, et c'est au sortir des bras de cette femme, après avoir éprouvé sur son sein la plus douce ivresse, que tu as tué
145 son frère, son ami, son père peut-être. Tu as fait pis encore ; regarde de ce côté, vois cette enceinte hérissée de flèches, ces armes qui n'avaient menacé que nos ennemis, vois-les tournées contre nos propres enfants ; vois les malheureuses compagnes de vos plaisirs, vois leur tristesse ; vois la douleur de leurs pères, vois le désespoir
150 de leurs mères. C'est là qu'elles sont condamnées à périr ou par nos mains ou par le mal que tu leur as donné. Éloigne-toi, à moins que tes yeux cruels ne se plaisent à des spectacles de mort ; éloigne-toi, va, et puissent les mers coupables qui t'ont épargné dans ton voyage, s'absoudre et nous venger en t'engloutissant avant ton retour !
155 Et vous, Otaïtiens, rentrez dans vos cabanes, rentrez tous, et que ces indignes étrangers n'entendent à leur départ que le flot qui mugit et ne voient que l'écume dont sa fureur blanchit une rive déserte. »

À peine eut-il achevé, que la foule des habitants disparut, un
160 vaste silence régna dans toute l'étendue de l'île, et l'on n'entendit que le sifflement aigu des vents et le bruit sourd des eaux sur toute la longueur de la côte. On eût dit que l'air et la mer sensibles à la voix du vieillard se disposaient à lui obéir.

B. – Eh bien, qu'en pensez-vous ?

165 **A.** – Ce discours me paraît véhément[2], mais à travers je ne sais quoi d'abrupt et de sauvage, il me semble retrouver des idées et des tournures européennes.

B. – Pensez donc que c'est une traduction de l'otaïtien en espagnol et de l'espagnol en français. L'Otaïtien s'était rendu la nuit chez cet
170 Orou qu'il a interpellé et dans la case duquel l'usage de la langue

---

1. **Exhortait** : encourageait vivement.
2. **Véhément** : éloquent et fort.

espagnole s'était conservé de temps immémorial. Orou avait écrit en espagnol la harangue[1] du vieillard, et Bougainville en avait une copie à la main, tandis que l'Otaïtien la prononçait.

A. – Je ne vois que trop à présent pourquoi Bougainville a supprimé ce fragment. Mais ce n'est pas là tout, et ma curiosité pour le reste n'est pas légère.

B. – Ce qui suit peut-être vous intéressera moins.

A. – N'importe.

B. – C'est un entretien de l'aumônier de l'équipage avec un habitant de l'île.

A. – Orou ?

B. – Lui-même. Lorsque le vaisseau de Bougainville approcha d'Otaïti, un nombre infini d'arbres creusés furent lancés sur les eaux, en un instant son bâtiment[2] en fut environné ; de quelque côté qu'il tournât ses regards, il voyait des démonstrations de surprise et de bienveillance. On lui jetait des provisions, on lui tendait les bras ; on s'attachait à des cordes, on gravissait contre les planches, on avait rempli sa chaloupe. On criait vers le rivage d'où les cris étaient répondus ; les habitants de l'île accouraient. Les voilà tous à terre. On s'empare des hommes de l'équipage, on se les partage ; chacun conduit le sien dans sa cabane. Les hommes les tenaient embrassés par le milieu du corps, les femmes leur flattaient les joues de leurs mains. Placez-vous là, soyez témoin par la pensée de ce spectacle d'hospitalité, et dites-moi comment vous trouvez l'espèce humaine.

A. – Très belle.

B. – Mais j'oublierais peut-être de vous parler d'un événement assez singulier. Cette scène de bienveillance et d'humanité fut troublée tout à coup par les cris d'un homme qui appelait à son secours ;

---

1. Harangue : discours.
2. Bâtiment : navire.

200 c'était le domestique d'un des officiers de Bougainville. De jeunes Otaïtiens s'étaient jetés sur lui, l'avaient étendu par terre, le déshabillaient et se disposaient à lui faire la civilité[1].

A. – Quoi! ces peuples si simples, ces sauvages si bons, si honnêtes…

B. – Vous vous trompez. Ce domestique était une femme déguisée
205 en homme. Ignorée de l'équipage entier pendant tout le temps d'une longue traversée, les Otaïtiens devinèrent son sexe au premier coup d'œil. Elle était née en Bourgogne, elle s'appelait Barré; ni laide ni jolie, âgée de vingt-six ans. Elle n'était jamais sortie de son hameau, et sa première pensée de voyager fut de faire le tour du
210 globe. Elle montra toujours de la sagesse et du courage.

A. – Ces frêles machines-là renferment quelquefois des âmes bien fortes.

---

1. Faire la civilité : avoir des relations sexuelles.

Pour comprendre l'essentiel

La harangue virulente du vieillard

❶ Le chapitre II s'ouvre sur le discours d'un vieillard tahitien. Dites en quoi le vieillard s'oppose aux autres Tahitiens.

❷ Le vieillard a compris les mauvaises intentions des Européens ; il met donc son peuple en garde. Décrivez ce qui attend les Tahitiens au retour des Européens, en appuyant votre réponse sur quelques citations du texte.

❸ Les propos du vieillard sont très violents à l'égard des Européens. En étudiant les types de phrases, les temps verbaux, les apostrophes et les antithèses, montrez qu'il emploie un registre polémique.

L'opposition de deux modes de vie

❹ Contrairement aux Européens, les Tahitiens se contentent du strict nécessaire. Dites quels sont leurs besoins et montrez, qu'en comparaison, les activités des Européens sont présentées comme absurdes et vaines.

❺ La question centrale sur laquelle les Tahitiens et les Européens s'opposent est celle de la propriété. Montrez que celle-ci touche aussi bien à la possession individuelle et collective qu'à l'amour et à la sexualité. Soulignez ensuite son lien avec la violence.

Les Européens, porteurs de vices contagieux

❻ Les Européens ont apporté avec eux deux maladies : la maladie vénérienne et la culpabilité, qui fait de l'acte sexuel un crime. Montrez, en vous appuyant sur le lexique, comment ces deux maux poussent les Tahitiens à se conduire d'une manière qui s'oppose à leurs valeurs ancestrales.

❼ Le réquisitoire du vieillard se termine par une succession de reproches qui oppose le comportement des deux peuples. Énumérez les gestes fraternels des Tahitiens et opposez-leur les réactions hostiles des Européens.

❽ Diderot met ici en cause les valeurs et l'attitude dominatrice des Européens. En vous appuyant sur les pronoms personnels et les hyperboles, montrez comment le philosophe dénonce les pratiques barbares des hommes civilisés et fait partager l'indignation du vieillard au lecteur.

Rappelez-vous !

• Le discours du vieillard, où le **registre polémique** prédomine, se présente comme un **réquisitoire**, caractérisé par sa **violence** et son **ton vindicatif**. La modalité exclamative, les apostrophes, les exagérations, les injures mêmes associées à un lexique dévalorisant sont les procédés les plus couramment employés.

• Le **renversement de point de vue** utilisé ici est un procédé courant chez les philosophes des Lumières : ils observent leur propre société d'un **regard neuf**, prétendument naïf mais qui invite surtout à être **critique** et à dénoncer les travers des pays civilisés. Montesquieu y a recours dans les *Lettres persanes* en faisant décrire la société parisienne par deux Persans.

Vers l'oral du Bac

Analyse du chapitre II, l. 1-53, p. 25-27

☞ Montrer que la comparaison entre les deux peuples permet de proposer un contre-modèle idéal

Conseils pour la lecture à voix haute

– Adoptez un ton vindicatif en lisant cet extrait, qui brille par la violence de sa dénonciation.

– Veillez néanmoins à lire sans trop de précipitation et en articulant.

– Insistez sur les apostrophes, les répétitions et les antithèses, qui visent à souligner ce qui oppose les Tahitiens aux Européens.

Analyse du texte

▧ Introduction rédigée

Après le premier chapitre, qui propose un dialogue entre deux Européens, A et B, ceux-ci s'effacent pour laisser place à la lecture du *Supplément au Voyage de Bougainville*, lecture qui doit prouver à A que le récit du navigateur n'est pas une simple « fable ». Ce récit dans le récit s'ouvre sur une violente diatribe proférée par un vieillard devant Bougainville, au moment où celui-ci s'apprête à quitter l'île avec son équipage. Le vieillard s'adresse d'abord à son peuple, qui manifeste sa tristesse de voir partir les Européens, puis il apostrophe le navigateur.

Si ce discours a pour vocation première de mettre en garde les Tahitiens, il propose, à travers la confrontation des deux peuples, l'établissement d'un contre-modèle idéal qui met à mal les valeurs des Européens.

■ *Analyse guidée*

I. Une mise en garde persuasive

a. Avant même que le vieillard ne prenne la parole, son attitude est celle d'un sage. Montrez comment Diderot met ainsi en valeur son discours.

b. Les Tahitiens expriment de la tristesse au départ de Bougainville et de son équipage. Montrez que le vieillard présente ce comportement comme naïf et dites comment il invite son peuple à adopter un point de vue critique.

c. Le vieillard met en garde les Tahitiens par un discours construit et élaboré. En relevant les termes qui appartiennent au niveau de langue soutenu et les apostrophes et en commentant l'usage des temps verbaux, soulignez la dimension oratoire de la dénonciation du vieillard.

II. La confrontation entre les deux peuples

a. Le vieillard a bien perçu les enjeux cachés derrière les voyages des Européens. Repérez les figures de style employées pour désigner la religion et la force armée et soulignez ensuite comment elles font apparaître à la fois l'innocence et la clairvoyance du vieillard.

b. Les Européens se comportent d'une manière qu'ils ne toléreraient pas des autres peuples. Commentez l'exemple du Tahitien débarquant en Europe (p. 26).

c. Le vieillard décrit l'accueil réservé aux Européens par les Tahitiens. Montrez que cette description est une confrontation et qu'elle valorise le respect de l'autre dont font preuve les Tahitiens.

III. Un contre-modèle idéal

a. En opposant Tahiti à l'Europe, le vieillard fait l'éloge d'un bonheur simple. Relevez les valeurs prônées par les Tahitiens et montrez en quoi le point de vue du Tahitien fait apparaître l'absurdité du comportement des Européens.

b. L'innocence des Tahitiens est menacée par les Européens et leur civilisation. Expliquez, en vous appuyant sur les pronoms personnels, comment les Européens ont déjà semé la discorde entre les femmes et risquent d'avoir une mauvaise influence sur l'ensemble des Tahitiens.

c. Le vieillard a compris les intentions des Européens et les souffrances que cela implique pour son peuple, mais il refuse d'être aussi barbare

qu'eux. Montrez comment, à deux reprises, il rejette la possibilité
d'adopter un comportement violent similaire à celui des Européens.

■ *Conclusion rédigée*

Le vieillard fait preuve d'une réelle éloquence et met violemment
en cause la culture et les valeurs européennes. Il montre que la nation
qui affirme être supérieure ne l'est pas nécessairement. Il constate que
la civilisation européenne, empreinte de contradictions et d'absurdités,
n'applique pas pour elle-même les principes qu'elle impose aux autres et
ne conduit pas son peuple au bonheur. La simplicité des Tahitiens est donc
valorisée ; leur civilisation devient un contre-modèle idéal qui invite
le lecteur à s'interroger sur ses besoins mais aussi sur ses habitudes de
vie. Le manque de fondement sur lequel reposent les valeurs européennes
réapparaîtra à travers la confrontation d'Orou et de l'aumônier. Le bon
sens d'Orou permet en effet d'interroger les préceptes et les obligations
qui règlent la vie des chrétiens et des religieux.

Les trois questions de l'examinateur

Question 1. Quels procédés stylistiques Diderot utilise-t-il pour donner
un caractère violent au discours du vieillard ?

Question 2. En quoi ce texte est-il un bon exemple d'argumentation
directe ?

Question 3. Par quels aspects le *Supplément au Voyage de Bougainville*
peut-il être apparenté à l'utopie ? Décrivez les documents iconographiques
reproduits au verso de la couverture et faites apparaître que les artistes
tendent, eux aussi, à idéaliser l'île de Tahiti.

Chapitre III

L'entretien
de l'aumônier et d'Orou

B. – Dans la division que les Otaïtiens se firent de l'équipage de Bougainville, l'aumônier devint le partage[1] d'Orou. L'aumônier et l'Otaïtien étaient à peu près du même âge, trente-cinq à trente-six ans. Orou n'avait alors que sa femme et trois filles appelées Asto,
5 Palli et Thia. Elles le déshabillèrent, lui lavèrent le visage, les mains et les pieds, et lui servirent un repas sain et frugal. Lorsqu'il fut sur le point de se coucher, Orou qui s'était absenté avec sa famille, reparut, lui présenta sa femme et ses trois filles nues, et lui dit :
     – Tu as soupé, tu es jeune, tu te portes bien ; si tu dors seul, tu
10 dormiras mal : l'homme a besoin, la nuit, d'une compagne à son côté. Voilà ma femme, voilà mes filles, choisis celle qui te convient ; mais si tu veux m'obliger[2], tu donneras la préférence à la plus jeune de mes filles qui n'a point encore eu d'enfants.
     La mère ajouta :
15   – Hélas ! je n'ai pas à m'en plaindre, la pauvre Thia ! ce n'est pas sa faute.
     L'aumônier répondit que sa religion, son état[3], les bonnes mœurs et l'honnêteté ne lui permettaient pas d'accepter ses offres.
     Orou répliqua :
20   – Je ne sais ce que c'est que la chose que tu appelles religion, mais je ne puis qu'en penser mal, puisqu'elle t'empêche de goûter

---

1. **Devint le partage de :** fut attribué à.
2. **M'obliger :** me faire plaisir.
3. **État :** situation, le fait d'avoir fait vœu de chasteté.

un plaisir innocent auquel nature, la souveraine maîtresse, nous invite tous ; de donner l'existence à un de tes semblables ; de rendre un service que le père, la mère et les enfants te demandent ; de
25 t'acquitter envers un hôte qui t'a fait un bon accueil, et d'enrichir une nation en l'accroissant d'un sujet de plus. Je ne sais ce que c'est que la chose que tu appelles état ; mais ton premier devoir est d'être homme et d'être reconnaissant. Je ne te propose pas de porter dans ton pays les mœurs d'Orou, mais Orou, ton hôte et ton
30 ami, te supplie de te prêter aux mœurs d'Otaïti. Les mœurs d'Otaïti sont-elles meilleures ou plus mauvaises que les vôtres ? c'est une question facile à décider. La terre où tu es né a-t-elle plus d'hommes qu'elle n'en peut nourrir ? en ce cas tes mœurs ne sont ni pires ni meilleures que les nôtres. En peut-elle nourrir plus qu'elle n'en a ?
35 nos mœurs sont meilleures que les tiennes. Quant à l'honnêteté[1] que tu m'objectes, je te comprends : j'avoue que j'ai tort et je t'en demande pardon. Je n'exige pas que tu nuises à ta santé ; si tu es fatigué, il faut que tu te reposes, mais j'espère que tu ne continueras pas à nous contrister[2]. Vois le souci que tu as répandu sur tous ces
40 visages. Elles craignent que tu n'aies remarqué en elles quelques défauts qui leur attirent ton dédain. Mais quand cela serait, le plaisir d'honorer une de mes filles entre ses compagnes et ses sœurs et de faire une bonne action ne te suffirait-il pas ? Sois généreux.

L'Aumônier. – Ce n'est pas cela ; elles sont toutes quatre également
45 belles. Mais ma religion ! mais mon état !

Orou. – Elles m'appartiennent et je te les offre ; elles sont à elles et elles se donnent à toi. Quelle que soit la pureté de conscience que la chose religion et la chose état te prescrivent, tu peux les accepter sans scrupule. Je n'abuse point de mon autorité, et sois sûr que je
50 connais et que je respecte les droits des personnes.

---

1. Diderot s'amuse à donner le sens de « fatigue » à « honnêteté » : Orou ne comprend pas le raffinement des usages sociaux des Européens, ce qui les présente comme superficiels.
2. Contrister : attrister.

Ici le véridique[1] aumônier convient que jamais la Providence[2] ne l'avait exposé à une aussi pressante tentation. Il était jeune ; il s'agitait, il se tourmentait ; il détournait ses regards des aimables suppliantes, il les ramenait sur elles ; il levait ses yeux et ses mains au ciel. Thia, la
55 plus jeune, embrassait ses genoux et lui disait : « Étranger, n'afflige pas mon père, n'afflige pas ma mère, ne m'afflige pas. Honore-moi dans la cabane et parmi les miens ; élève-moi au rang de mes sœurs qui se moquent de moi. Asto, l'aînée, a déjà trois enfants ; Palli, la seconde, en a deux, et Thia n'en a point. Étranger, honnête étranger,
60 ne me rebute[3] pas ; rends-moi mère : fais-moi un enfant que je puisse un jour promener par la main, à côté de moi, dans Otaïti, qu'on voie dans neuf mois attaché à mon sein, dont je sois fière, et qui fasse une partie de ma dot lorsque je passerai de la cabane de mon père dans une autre. Je serai peut-être plus chanceuse avec toi qu'avec
65 nos jeunes Otaïtiens. Si tu m'accordes cette faveur, je ne t'oublierai plus ; je te bénirai toute ma vie ; j'écrirai ton nom sur mon bras et sur celui de ton fils, nous le prononcerons sans cesse avec joie ; et lorsque tu quitteras ce rivage, mes souhaits t'accompagneront sur les mers jusqu'à ce que tu sois arrivé dans ton pays. »
70 Le naïf[4] aumônier dit qu'elle lui serrait les mains, qu'elle attachait sur ses yeux des regards si expressifs et si touchants, qu'elle pleurait, que son père, sa mère et ses sœurs s'éloignèrent, qu'il resta seul avec elle, et qu'en disant : Mais ma religion ! mais mon état ! il se trouva le lendemain couché à côté de cette jeune fille qui l'accablait
75 de caresses, et qui invitait son père, sa mère et ses sœurs, lorsqu'ils s'approchèrent de son lit le matin, à joindre leur reconnaissance à la sienne. Asto et Palli qui s'étaient éloignées rentrèrent avec les mets du pays, des boissons et des fruits. Elles embrassaient leur sœur et faisaient des vœux sur elle ; ils déjeunèrent tous ensemble,
80 ensuite Orou, demeuré seul avec l'aumônier, lui dit :

---

1. Véridique : sincère (qui dit la vérité).
2. Providence : puissance divine qui dirige la destinée des hommes.
3. Rebute : rejette durement.
4. Naïf : honnête (qui dit ce qu'il pense).

– Je vois que ma fille est contente de toi, et je te remercie. Mais pourrais-tu m'apprendre ce que c'est que le mot religion que tu as prononcé tant de fois et avec tant de douleur?

L'Aumônier. – Qui est-ce qui a fait ta cabane et les ustensiles qui la meublent?

Orou. – C'est moi.

L'Aumônier. – Eh bien, nous croyons que ce monde et ce qu'il renferme est l'ouvrage d'un ouvrier.

Orou. – Il a donc des pieds, des mains, une tête?

L'Aumônier. – Non.

Orou. – Où fait-il sa demeure?

L'Aumônier. – Partout.

Orou. – Ici même?

L'Aumônier. – Ici.

Orou. – Nous ne l'avons jamais vu.

L'Aumônier. – On ne le voit pas.

Orou. – Voilà un père bien indifférent. Il doit être vieux, car il a du moins l'âge de son ouvrage.

L'Aumônier. – Il ne vieillit point. Il a parlé à nos ancêtres, il leur a donné des lois, il leur a prescrit la manière dont il voulait être honoré; il leur a ordonné certaines actions comme bonnes, il leur en a défendu d'autres comme mauvaises.

Orou. – J'entends; et une de ces actions qu'il leur a défendues comme mauvaises, c'est de coucher avec une femme ou une fille. Pourquoi donc a-t-il fait deux sexes?

L'Aumônier. – Pour s'unir, mais à certaines conditions requises, après certaines cérémonies préalables, en conséquence desquelles un homme appartient à une femme et n'appartient qu'à elle, une femme appartient à un homme et n'appartient qu'à lui.

110 OROU. – Pour toute leur vie ?

L'AUMÔNIER. – Pour toute leur vie.

OROU. – En sorte que s'il arrivait à une femme de coucher avec un autre que son mari, ou à un mari de coucher avec une autre que sa femme… Mais cela n'arrive point, car puisqu'il est là et que cela
115 lui déplaît, il sait les en empêcher.

L'AUMÔNIER. – Non, il les laisse faire, et ils pèchent contre la loi de Dieu, car c'est ainsi que nous appelons le grand ouvrier ; contre la loi du pays, et nous commettons un crime.

OROU. – Je serais fâché de t'offenser par mes discours, mais si tu le
120 permettais, je te dirais mon avis.

L'AUMÔNIER. – Parle.

OROU. – Ces préceptes singuliers, je les trouve opposés à la nature, contraires à la raison, faits pour multiplier les crimes, et fâcher à tout moment le vieil ouvrier qui a tout fait sans tête, sans mains et
125 sans outils ; qui est partout et qu'on ne voit nulle part ; qui dure aujourd'hui et demain et qui n'a pas un jour de plus ; qui commande et qui n'est pas obéi ; qui peut empêcher et qui n'empêche pas. Contraires à la nature, parce qu'ils supposent qu'un être sentant, pensant et libre peut être la propriété d'un être semblable à lui.
130 Sur quoi ce droit serait-il fondé ? Ne vois-tu pas qu'on a confondu dans ton pays la chose qui n'a ni sensibilité, ni pensée, ni désir, ni volonté, qu'on quitte, qu'on prend, qu'on garde, qu'on échange, sans qu'elle souffre et sans qu'elle se plaigne, avec la chose qui ne s'échange point, qui ne s'acquiert point, qui a liberté, volonté, désir,
135 qui peut se donner ou se refuser pour un moment, se donner ou se refuser pour toujours, qui se plaint et qui souffre, et qui ne saurait devenir un effet de commerce[1] sans qu'on oublie son caractère et qu'on fasse violence à la nature ? Contraires à la loi générale des êtres ; rien en effet te paraît-il plus insensé qu'un précepte
140 qui proscrit le changement qui est en nous, qui commande une

---

1. **Un effet de commerce** : un objet qui puisse être vendu et acheté.

constance qui n'y peut être, et qui viole la nature et la liberté du mâle et de la femelle en les enchaînant pour jamais l'un à l'autre ; qu'une fidélité qui borne la plus capricieuse des jouissances à un même individu ; qu'un serment d'immutabilité de deux êtres de chair, à la face d'un ciel qui n'est pas un instant le même, sous des antres[1] qui menacent ruine, au bas d'une roche qui tombe en poudre, au pied d'un arbre qui se gerce[2], sur une pierre qui s'ébranle ? Crois-moi, vous avez rendu la condition de l'homme pire que celle de l'animal. Je ne sais ce que c'est que ton grand ouvrier, mais je me réjouis qu'il n'ait point parlé à nos pères, et je souhaite qu'il ne parle point à nos enfants, car il pourrait par hasard leur dire les mêmes sottises, et ils feraient peut-être celle de les croire. Hier, en soupant, tu nous as entretenus de magistrats et de prêtres. Je ne sais quels sont ces personnages que tu appelles magistrats et prêtres, dont l'autorité règle votre conduite ; mais, dis-moi, sont-ils maîtres du bien et du mal ? Peuvent-ils faire que ce qui est juste soit injuste, et que ce qui est injuste soit juste ? Dépend-il d'eux d'attacher le bien à des actions nuisibles et le mal à des actions innocentes ou utiles ? Tu ne saurais le penser, car à ce compte il n'y aurait ni vrai ni faux, ni bon ni mauvais, ni beau ni laid, du moins que ce qu'il plairait à ton grand ouvrier, à tes magistrats, à tes prêtres de prononcer tel ; et d'un moment à l'autre tu serais obligé de changer d'idées et de conduite. Un jour on te dirait de la part de l'un de tes trois maîtres : *tue*, et tu serais obligé en conscience de tuer ; un autre jour : *vole*, et tu serais tenu de voler ; ou : *ne mange pas de ce fruit*, et tu n'oserais en manger ; *je te défends ce légume ou cet animal*, et tu te garderais d'y toucher. Il n'y a point de bonté qu'on ne pût t'interdire, point de méchanceté qu'on ne pût t'ordonner ; et où en serais-tu réduit, si tes trois maîtres, peu d'accord entre eux, s'avisaient de te permettre, de t'enjoindre et de te défendre la même chose, comme je pense qu'il arrive souvent ? Alors pour plaire au prêtre, il faudra

---

1. Antres : cavernes.
2. Se gerce : se fend.

que tu te brouilles avec le magistrat ; pour satisfaire le magistrat, il faudra que tu mécontentes le grand ouvrier, et pour te rendre agréable au grand ouvrier, il faudra que tu renonces à la nature. Et sais-tu ce qui en arrivera ? c'est que tu les mépriseras tous les trois, et que tu ne seras ni homme, ni citoyen, ni pieux, que tu ne seras rien ; que tu seras mal avec toutes les sortes d'autorité, mal avec toi-même, méchant, tourmenté par ton cœur, persécuté par tes maîtres insensés et malheureux, comme je te vis hier au soir lorsque je te présentai mes filles et que tu t'écriais : Mais ma religion ! mais mon état ! Veux-tu savoir en tout temps et en tout lieu ce qui est bon et mauvais ? attache-toi à la nature des choses et des actions, à tes rapports avec ton semblable, à l'influence de ta conduite sur ton utilité particulière et le bien général. Tu es en délire, si tu crois qu'il y ait rien, soit en haut, soit en bas, dans l'univers qui puisse ajouter ou retrancher aux lois de la nature. Sa volonté éternelle est que le bien soit préféré au mal et le bien général au bien particulier. Tu ordonneras le contraire, mais tu ne seras pas obéi. Tu multiplieras les malfaiteurs et les malheureux par la crainte, par le châtiment et par les remords ; tu dépraveras les consciences, tu corrompras les esprits : ils ne sauront plus ce qu'ils ont à faire ou à éviter ; troublés dans l'état d'innocence, tranquilles dans le forfait, ils auront perdu de vue l'étoile polaire de leur chemin. Réponds-moi sincèrement ; en dépit des ordres exprès de tes trois législateurs, un jeune homme dans ton pays ne couche-t-il jamais sans leur permission avec une jeune fille ?

L'Aumônier. – Je mentirais, si je te l'assurais.

Orou. – La femme qui a juré de n'appartenir qu'à son mari, ne se donne-t-elle point à un autre ?

L'Aumônier. – Rien n'est plus commun.

Orou. – Tes législateurs sévissent ou ne sévissent pas. S'ils sévissent, ce sont des bêtes féroces qui battent la nature. S'ils ne sévissent pas, ce sont des imbéciles qui ont exposé au mépris leur autorité par une défense inutile.

L'Aumônier. – Les coupables qui échappent à la sévérité des lois sont châtiés par le blâme général.

Orou. – C'est-à-dire que la justice s'exerce par le défaut de sens commun de toute la nation, et que c'est la folie de l'opinion qui
210 supplée aux lois.

L'Aumônier. – La fille déshonorée ne trouve plus de mari.

Orou. – Déshonorée ! et pourquoi ?

L'Aumônier. – La femme infidèle est plus ou moins méprisée.

Orou. – Méprisée ! et pourquoi ?

215 **L'Aumônier.** – Le jeune homme s'appelle un lâche séducteur.

Orou. – Un lâche ! un séducteur ! et pourquoi ?

L'Aumônier. – Le père, la mère et l'enfant sont désolés. L'époux volage est un libertin ; l'époux trahi partage la honte de sa femme.

Orou. – Quel monstrueux tissu d'extravagances tu m'exposes là !
220 et encore tu ne me dis pas tout ; car aussitôt qu'on s'est permis de disposer à son gré des idées de justice et de propriété, d'ôter ou de donner un caractère arbitraire aux choses, d'unir aux actions ou d'en séparer le bien et le mal, sans consulter que le caprice, on se blâme, on s'accuse, on se suspecte, on se tyrannise, on est envieux,
225 on est jaloux, on se trompe, on s'afflige, on se cache, on dissimule, on s'épie, on se surprend, on se querelle, on ment ; les filles en imposent à leurs parents, les maris à leurs femmes, les femmes à leurs maris ; des filles, oui, je n'en doute pas, des filles étoufferont leurs enfants, des pères soupçonneux mépriseront et négligeront
230 les leurs, des mères s'en sépareront et les abandonneront à la merci du sort, et le crime et la débauche se montreront sous toutes sortes de formes. Je sais tout cela comme si j'avais vécu parmi vous ; cela est parce que cela doit être, et la société, dont votre chef nous vante le bel ordre, ne sera qu'un ramas ou d'hypocrites qui foulent secrè-
235 tement aux pieds les lois ; ou d'infortunés qui sont eux-mêmes les instruments de leur supplice en s'y soumettant ; ou d'imbéciles en

qui le préjugé a tout à fait étouffé la voix de la nature ; ou d'êtres mal organisés en qui la nature ne réclame pas ses droits.

L'AUMÔNIER. – Cela ressemble. Mais vous ne vous mariez donc point ?

240 OROU. – Nous nous marions.

L'AUMÔNIER. – Qu'est-ce que votre mariage ?

OROU. – Le consentement d'habiter une même cabane et de coucher dans un même lit, tant que nous nous y trouvons bien.

L'AUMÔNIER. – Et lorsque vous vous y trouvez mal ?

245 OROU. – Nous nous séparons.

L'AUMÔNIER. – Que deviennent vos enfants ?

OROU. – Ô étranger ! ta dernière question achève de me déceler la profonde misère de ton pays. Sache, mon ami, qu'ici la naissance d'un enfant est toujours un bonheur et sa mort un sujet de regrets
250 et de larmes. Un enfant est un bien précieux, parce qu'il doit devenir un homme ; aussi en avons-nous un tout autre soin que de nos plantes et de nos animaux. Un enfant qui naît occasionne la joie domestique et publique, c'est un accroissement de fortune pour la cabane et de force pour la nation. Ce sont des bras et des mains de
255 plus dans Otaïti : nous voyons en lui un agriculteur, un pêcheur, un chasseur, un soldat, un époux, un père. En repassant de la cabane de son mari dans celle de ses parents, une femme emmène avec elle ses enfants qu'elle avait apportés en dot ; on partage ceux qui sont nés pendant la cohabitation commune, et l'on compense autant
260 qu'il est possible les mâles par les femelles, en sorte qu'il reste à chacun à peu près un nombre égal de filles et de garçons.

L'AUMÔNIER. – Mais des enfants sont longtemps à charge avant que de rendre service.

OROU. – Nous destinons à leur entretien et à la subsistance des
265 vieillards une sixième partie de tous les fruits du pays. Ce tribut[1]

---

1. **Tribut :** contribution payée par les individus à la communauté.

les suit partout. Ainsi tu vois que plus la famille de l'Otaïtien est nombreuse, plus elle est riche.

L'Aumônier. – Une sixième partie !

Orou. – C'est un moyen sûr d'encourager la population et d'inté-
270 resser au respect de la vieillesse et à la conservation des enfants.

L'Aumônier. – Vos époux se reprennent-ils quelquefois ?

Orou. – Très souvent. Cependant la durée la plus courte d'un mariage est d'une lune à l'autre.

L'Aumônier. – À moins que la femme ne soit grosse, alors la coha-
275 bitation est au moins de neuf mois.

Orou. – Tu te trompes ; la paternité, comme le tribut, suit son enfant partout.

L'Aumônier. – Tu m'as parlé d'enfants qu'une femme apporte en dot à son mari.

280 Orou. – Assurément. Voilà ma fille aînée qui a trois enfants ; ils marchent, ils sont sains, ils sont beaux, ils promettent d'être forts. Lorsqu'il lui prendra fantaisie de se marier, elle les emmènera, ils sont siens ; son mari les recevra avec joie, et sa femme ne lui en serait que plus agréable, si elle était enceinte d'un quatrième.

285 L'Aumônier. – De lui ?

Orou. – De lui ou d'un autre. Plus nos filles ont d'enfants, plus elles sont recherchées ; plus nos garçons sont vigoureux et beaux, plus ils sont riches. Aussi autant nous sommes attentifs à préserver les unes de l'approche de l'homme, les autres du commerce de la
290 femme avant l'âge de fécondité, autant nous les exhortons à pro-
duire lorsque les garçons sont pubères et les filles nubiles. Tu ne saurais croire l'importance du service que tu auras rendu à ma fille Thia, si tu lui as fait un enfant. Sa mère ne lui dira plus à chaque lune : *Mais, Thia, à quoi penses-tu donc ? tu ne deviens point grosse*[1]. *Tu*

---

1. **Tu ne deviens point grosse :** tu ne tombes pas enceinte.

295 *as dix-neuf ans, tu devrais avoir déjà deux enfants, et tu n'en as point.*
Quel est celui qui se chargera de toi ? Si tu perds ainsi tes jeunes ans, que
feras-tu dans ta vieillesse ? Thia, il faut que tu aies quelques défauts qui
éloignent de toi les hommes ; corrige-toi, mon enfant. À ton âge, j'avais été
trois fois mère.

300 **L'Aumônier.** – Quelles précautions prenez-vous pour garder vos
filles et vos garçons adolescents ?

Orou. – C'est l'objet principal de l'éducation domestique et le point
le plus important des mœurs publiques. Nos garçons jusqu'à l'âge
de vingt-deux ans, deux ou trois ans au-delà de la puberté, res-
305 tent couverts d'une longue tunique et les reins ceints d'une petite
chaîne. Avant que d'être nubiles, nos filles n'oseraient sortir sans
un voile blanc. Ôter sa chaîne, relever son voile est une faute qui
se commet rarement, parce que nous leur en apprenons de bonne
heure les fâcheuses conséquences. Mais au moment où le mâle a
310 pris toute sa force, où les symptômes virils ont de la continuité, et
où l'effusion[1] fréquente et la qualité de la liqueur séminale[2] nous
rassurent ; au moment où la jeune fille se fane, s'ennuie, est d'une
maturité propre à concevoir des désirs, à en inspirer et à les satisfaire
avec utilité, le père détache la chaîne à son fils et lui coupe l'ongle
315 du doigt du milieu de la main droite ; la mère relève le voile de
sa fille. L'un peut solliciter une femme et en être sollicité ; l'autre
se promener publiquement le visage découvert et la gorge nue,
accepter ou refuser les caresses d'un homme ; on indique seulement
d'avance au garçon les filles, à la fille les garçons qu'ils doivent
320 préférer. C'est une grande fête que celle de l'émancipation[3] d'une
fille ou d'un garçon. Si c'est une fille, la veille, les jeunes garçons se
rassemblent en foule autour de la cabane, et l'air retentit pendant
toute la nuit du chant des voix et du son des instruments. Le jour,
elle est conduite par son père et par sa mère dans une enceinte

---

1. **Effusion :** épanchement (d'un liquide).
2. **Liqueur séminale :** sperme.
3. **Émancipation :** acte qui libère l'enfant de l'autorité parentale.

325 où l'on danse et où l'on fait l'exercice du saut, de la lutte et de la course. On déploie l'homme nu devant elle sous toutes les faces et dans toutes les attitudes. Si c'est un garçon, ce sont les jeunes filles qui font en sa présence les frais et les honneurs de la fête et exposent à ses regards la femme nue sans réserve et sans secret. Le
330 reste de la cérémonie s'achève sur un lit de feuilles, comme tu l'as vu à ta descente parmi nous. À la chute du jour, la fille rentre dans la cabane de ses parents, ou passe dans la cabane de celui dont elle a fait choix et elle y reste tant qu'elle s'y plaît.

L'Aumônier. – Ainsi cette fête est ou n'est point un jour de
335 mariage ?

Orou. – Tu l'as dit.

A. – Qu'est-ce que je vois là en marge ?

B. – C'est une note où le bon aumônier dit que les préceptes des parents sur le choix des garçons et des filles étaient pleins de bon
340 sens et d'observations très fines et très utiles, mais qu'il a supprimé ce catéchisme qui aurait paru à des gens aussi corrompus et aussi superficiels que nous d'une licence[1] impardonnable ; ajoutant toutefois que ce n'était pas sans regret qu'il avait retranché des détails où l'on aurait vu premièrement jusqu'où une nation qui s'occupe sans
345 cesse d'un objet important peut être conduite dans ses recherches sans les secours de la physique et de l'anatomie. Secondement, la différence des idées de la beauté dans une contrée où l'on rapporte les formes au plaisir d'un moment, et chez un peuple où elles sont appréciées d'après une utilité plus constante. Là, pour être belle, on
350 exige un teint éclatant, un grand front, de grands yeux, des traits fins et délicats, une taille légère, une petite bouche, de petites mains, un petit pied. Ici, presque aucun de ces éléments n'entre en calcul[2] ; la femme sur laquelle les regards s'attachent et que le désir poursuit est celle qui promet beaucoup d'enfants, la femme du cardinal

---

1. **Licence :** liberté (ici de mœurs).
2. **N'entre en calcul :** n'est pris en compte.

355 d'Ossat[1], et qui les promet actifs, intelligents, courageux, sains et robustes. Il n'y a presque rien de commun entre la Vénus d'Athènes et celle d'Otaïti ; l'une est Vénus galante, l'autre est Vénus féconde. Une Otaïtienne disait un jour avec mépris à une autre femme du pays : *Tu es belle, mais tu fais de laids enfants ; je suis laide, mais je fais*
360 *de beaux enfants, et c'est moi que les hommes préfèrent.*

Après cette note de l'aumônier, Orou continue.

A. – Avant qu'il reprenne son discours, j'ai une prière à vous faire, c'est de me rappeler une aventure arrivée dans la Nouvelle-Angleterre[2].

365 **B.** – La voici. Une fille, Miss Polly Baker[3], devenue grosse pour la cinquième fois, fut traduite devant le tribunal de justice de Connecticut[4], près de Boston. La loi condamne toutes les personnes du sexe[5] qui ne doivent le titre de mère qu'au libertinage à une amende ou à une punition corporelle, lorsqu'elles ne peuvent payer l'amende.
370 Miss Polly, en entrant dans la salle où les juges étaient assemblés, leur tint ce discours : « Permettez-moi, Messieurs, de vous adresser quelques mots. Je suis une fille malheureuse et pauvre, je n'ai pas le moyen de payer des avocats pour prendre ma défense, et je ne vous retiendrai pas longtemps. Je ne me flatte pas que dans la sentence
375 que vous allez prononcer vous vous écartiez de la loi ; ce que j'ose espérer, c'est que vous daignerez implorer pour moi les bontés du gouvernement et obtenir qu'il me dispense de l'amende. Voici la cinquième fois, Messieurs, que je parais devant vous pour le même sujet ; deux fois j'ai payé des amendes onéreuses, deux fois j'ai subi
380 une punition publique et honteuse parce que je n'ai pas été en état de payer. Cela peut être conforme à la loi, je ne le conteste point ;

---

1. Cardinal d'Ossat : cardinal qui s'occupait des mariages princiers et qui défendit le fait qu'une bonne épouse devait être jugée en fonction de sa capacité à concevoir des enfants.
2. Nouvelle-Angleterre : région située au nord-est des États-Unis.
3. Histoire inventée par Benjamin Franklin, publiée dans le *London Magazine* en 1747.
4. De Connecticut : entendre « du Connecticut ».
5. Du sexe : entendre « du sexe féminin ».

mais il y a quelquefois des lois injustes, et on les abroge[1] ; il y en a aussi de trop sévères, et la puissance législatrice peut dispenser de leur exécution. J'ose dire que celle qui me condamne est à la fois
385 injuste en elle-même et trop sévère envers moi. Je n'ai jamais offensé personne dans le lieu où je vis, et je défie mes ennemis, si j'en ai quelques-uns, de pouvoir prouver que j'aie fait le moindre tort à un homme, à une femme, à un enfant. Permettez-moi d'oublier un moment que la loi existe, alors je ne conçois pas quel peut être
390 mon crime ; j'ai mis cinq beaux enfants au monde, au péril de ma vie, je les ai nourris de mon lait, je les ai soutenus par mon travail, et j'aurais fait davantage pour eux, si je n'avais pas payé des amendes qui m'en ont ôté les moyens. Est-ce un crime d'augmenter les sujets de Sa Majesté dans une nouvelle contrée qui manque d'habitants ?
395 Je n'ai enlevé aucun mari à sa femme, ni débauché aucun jeune homme ; jamais on ne m'a accusée de ces procédés coupables, et si quelqu'un se plaint de moi, ce ne peut être que le ministre à qui je n'ai point payé de droits de mariage. Mais est-ce ma faute ? J'en appelle à vous, Messieurs ; vous me supposez sûrement assez de
400 bon sens pour être persuadés que je préférerais l'honorable état de femme à la condition honteuse dans laquelle j'ai vécu jusqu'à présent. J'ai toujours désiré et je désire encore de me marier, et je ne crains point de dire que j'aurais la bonne conduite, l'industrie[2] et l'économie[3] convenables à une femme, comme j'en ai la fécon-
405 dité. Je défie qui que ce soit de dire que j'aie refusé de m'engager dans cet état. Je consentis à la première et seule proposition qui m'en ait été faite, j'étais vierge encore ; j'eus la simplicité de confier mon honneur à un homme qui n'en avait point, il me fit mon premier enfant et m'abandonna. Cet homme, vous le connaissez tous,
410 il est actuellement magistrat comme vous et s'assied à vos côtés ; j'avais espéré qu'il paraîtrait aujourd'hui au tribunal et qu'il aurait intéressé votre pitié en ma faveur, en faveur d'une malheureuse

---

1. **Abroge :** annule.
2. **Industrie :** compétence.
3. **Économie :** art de gérer une maison.

qui ne l'est que par lui ; alors j'aurais été incapable de l'exposer à rougir en rappelant ce qui s'est passé entre nous. Ai-je tort de me plaindre aujourd'hui de l'injustice des lois ? La première cause de mes égarements, mon séducteur, est élevé au pouvoir et aux honneurs par ce même gouvernement qui punit mes malheurs par le fouet et par l'infamie[1]. On me répondra que j'ai transgressé les préceptes de la religion ; si mon offense est contre Dieu, laissez-lui le soin de m'en punir ; vous m'avez déjà exclue de la communion de l'Église, cela ne suffit-il pas ? Pourquoi au supplice de l'enfer, que vous croyez m'attendre dans l'autre monde, ajoutez-vous dans celui-ci les amendes et le fouet ? Pardonnez, Messieurs, ces réflexions ; je ne suis point un théologien, mais j'ai peine à croire que ce me soit un grand crime d'avoir donné le jour à de beaux enfants que Dieu a doués d'âmes immortelles et qui l'adorent. Si vous faites des lois qui changent la nature des actions et en font des crimes, faites-en contre les célibataires dont le nombre augmente tous les jours, qui portent la séduction et l'opprobre[2] dans les familles, qui trompent les jeunes filles comme je l'ai été, et qui les forcent à vivre dans l'état honteux dans lequel je vis au milieu d'une société qui les repousse et les méprise. Ce sont eux qui troublent la tranquillité publique ; voilà des crimes qui méritent plus que le mien l'animadversion[3] des lois. »

Ce discours singulier produisit l'effet qu'en attendait Miss Baker ; ses juges lui remirent[4] l'amende et la peine qui en tient lieu. Son séducteur, instruit de ce qui s'était passé, sentit le remords de sa première conduite, il voulut la réparer ; deux jours après il épousa Miss Baker, et fit une honnête femme de celle dont cinq ans auparavant il avait fait une fille publique[5].

A. – Et ce n'est pas là un conte de votre invention[6] ?

---

1. Infamie : déshonneur.
2. Opprobre : déshonneur extrême et public.
3. Animadversion : condamnation en paroles.
4. Remirent : firent grâce de.
5. Fille publique : femme aux mœurs légères.
6. Diderot modifie la fin de l'histoire. Dans la version de Franklin, elle épouse son juge.

B. – Non.

A. – J'en suis bien aise.

B. – Je ne sais si l'abbé Raynal[1] ne rapporte pas le fait et le discours
dans son *Histoire du commerce des deux Indes*.

A. – Ouvrage excellent et d'un ton si différent des précédents, qu'on
a soupçonné l'abbé d'y avoir employé des mains étrangères.

B. – C'est une injustice.

A. – Ou une méchanceté. On dépèce le laurier qui ceint la tête
d'un grand homme et on le dépèce si bien qu'il ne lui en reste
plus qu'une feuille.

B. – Mais le temps rassemble les feuilles éparses et refait la cou-
ronne.

A. – Mais l'homme est mort, il a souffert de l'injure qu'il a reçue de
ses contemporains, et il est insensible à la réparation qu'il obtient
de la postérité.

---

1. **Abbé Raynal** : auteur de l'*Histoire philosophique et politique des deux Indes* à
laquelle Diderot a participé (1770).

Pour comprendre l'essentiel

La rationalité d'Orou

❶ Orou cherche à convaincre l'aumônier que l'acte sexuel n'est pas condamnable. Relevez les arguments sur lesquels il s'appuie pour défendre sa thèse.

❷ Face à Orou, l'aumônier semble incapable de produire des arguments. Montrez que c'est finalement le sauvage qui est éloquent et rationnel, en étudiant l'emploi des connecteurs logiques ainsi que les alternatives proposées par Orou dans ses questions à l'aumônier.

Une morale chrétienne risible et contre-nature

❸ Diderot s'amuse à souligner l'absurdité de la résistance de l'aumônier. Analysez les différents types de comique utilisés (comique de situation, de gestes, de répétition et de caractère).

❹ Après que l'aumônier a succombé à la tentation, Orou cherche à comprendre ce qu'est la religion. Montrez comment Diderot utilise le point de vue naïf d'Orou pour souligner ce qu'il considère comme étant les incohérences et les absurdités de la religion chrétienne.

La relativité des valeurs

❺ Orou se demande comment l'homme civilisé, soumis à des lois qui se contredisent, peut savoir ce que sont le bien et le mal. En vous appuyant sur des exemples précis, montrez comment Diderot défend ici l'idée que les notions de bien et de mal sont relatives.

❻ Orou démontre que les Européens, par leur soumission aux trois codes (code de la nature, code civil, code religieux), finissent par n'en respecter aucun. Indiquez les actions immorales qu'ils sont alors amenés à commettre et faites état des souffrances que ces codes occasionnent.

❼ En contrepoint, les mœurs des Tahitiens, libres et simples, semblent être une source de bonheur pour les habitants. Décrivez l'organisation de la vie des Tahitiens : mariage, divorce, partage des enfants...

❽ A profite d'une pause dans la lecture pour demander à B de lui raconter l'histoire de Polly Baker. Définissez la fonction de ce récit et dites quel lien on peut établir entre cette histoire et l'entretien de l'aumônier et d'Orou.

Rappelez-vous !

• Diderot prend le *Voyage de Bougainville* comme prétexte pour proposer une **vision idéale de la société tahitienne**. Il ne restitue pas une image exacte des mœurs et de la vie à Tahiti, mais il représente un **état de nature** où règne l'innocence, le partage et un bonheur simple. Cette description se rapproche de **l'utopie** dans la mesure où elle dénonce les **vices de la société civilisée** en lui opposant un modèle idéal.

• Les deux Tahitiens mis en scène par Diderot sont des personnages littéraires et fictifs. Contre toute vraisemblance, le vieillard et Orou s'expriment **comme des philosophes des Lumières**. Ce choix d'écriture permet à Diderot d'**adopter un regard naïf**. En partant d'usages opposés aux mœurs européennes, il propose ainsi une **réflexion sur les pratiques sexuelles** et leur valeur morale. Cette confrontation invite, comme Diderot le met en avant dans le sous-titre de son ouvrage, à ne pas « attacher des idées morales à certaines actions physiques qui n'en comportent pas ».

Vers l'oral du Bac

Analyse du chapitre III, l. 122-172, p. 43-44

☞ Montrer en quoi Orou tient un discours rationnel digne d'un philosophe des Lumières

Conseils pour la lecture à voix haute

– Le texte est composé d'une majorité de phrases longues qui multiplient les juxtapositions et les énumérations. Respectez bien la ponctuation pour atténuer l'impression de complexité produite par le texte.
– Mettez en avant les questions oratoires en adoptant l'intonation qui convient pour éviter une lecture trop monotone.

Analyse du texte

▦ Introduction rédigée

A et B poursuivent leur lecture du *Supplément au Voyage de Bougainville* et s'effacent à nouveau pour, cette fois, laisser la parole à l'aumônier de l'équipage et à Orou, son hôte. Comme le veut la coutume tahitienne, Orou lui propose de passer la nuit avec une des femmes de sa maison. L'aumônier tente alors d'expliquer que sa fonction d'ecclésiastique lui interdit toute relation charnelle. Cependant, il succombe aux supplications de la plus jeune des filles. Le lendemain matin, il a une discussion avec Orou qui ne comprend pas que les hommes s'imposent des lois qui contredisent celles de la nature.

Dans ce dialogue, l'argumentaire de l'aumônier, censé défendre sa religion, est mis à mal par le bon sens du sauvage. Orou domine donc rapidement l'échange par la pertinence de son raisonnement: l'aumônier doit tenter de justifier les lois visiblement absurdes de sa civilisation. À travers la mise en cause de la figure de Dieu et des lois des hommes, Diderot fait l'éloge d'une société où les hommes vivent en accord avec la nature et leurs désirs.

Diderot se sert du personnage d'Orou pour projeter un regard naïf sur la religion chrétienne et les lois qui régissent les sociétés civilisées, tout en le faisant s'exprimer de manière rationnelle. Il met ainsi en scène le conflit entre nature et culture et expose comment l'organisation de la société dénature l'homme.

■ *Analyse guidée*

I. Le regard du Tahitien

a. L'adoption du point de vue d'Orou présente l'avantage de donner à voir la religion à travers un regard naïf. En vous attachant à l'expression du doute, montrez en quoi l'étonnement d'Orou devient un moyen de mettre en cause les incohérences de la religion.

b. Pour Orou, le concept de Dieu n'a aucun sens et semble incohérent. En examinant la périphrase qui le désigne, les énumérations et les antithèses, montrez que Dieu apparaît comme une somme de contradictions aux yeux d'Orou.

c. Selon Orou, les lois européennes s'opposent aux commandements de la nature, « la souveraine maîtresse ». Relevez les antithèses présentant les difficultés qu'engendre l'obéissance à des lois contraires à la nature.

II. Un discours digne d'un philosophe des Lumières

a. C'est par un exposé structuré et argumenté qu'Orou fait l'éloge des lois de la nature. Faites apparaître les étapes du raisonnement complexe du Tahitien.

b. L'homme des Lumières se doit d'être éclairé et capable de développer une réflexion personnelle. Analysez comment l'homme civilisé peint par Orou en est justement incapable.

c. Les philosophes des Lumières ont affirmé leur volonté de rendre le savoir accessible à tous. Montrez comment, grâce à des exemples, Orou met à la portée de tous une réflexion philosophique complexe.

III. Une société qui dénature l'homme

a. Pour Orou, la fidélité et la constance sont des notions contre-nature. Relevez et commentez les images qui donnent à voir la nature sous le signe du mouvement.

b. Pour Orou, les prêtres et les magistrats sont à l'origine des souffrances morales endurées par l'homme civilisé. Faites apparaître comment, par l'emploi de questions oratoires et d'énumérations, Orou invite à dissocier les actions des valeurs morales qui leur sont associées.

c. Selon Orou, les lois qui se contredisent interdisent l'accès au bonheur. En faisant apparaître la violence des commandements et le fait qu'ils ne sont pas permanents, montrez que l'Européen est constamment divisé.

▓ *Conclusion rédigée*

Le personnage d'Orou permet à Diderot de projeter un regard naïf sur la civilisation européenne, ses lois et ses mœurs et de mener à bien sa réflexion de philosophe des Lumières. En effet, Orou le Tahitien parle comme un homme éclairé et expose les théories philosophiques du xviiie siècle. Le lecteur est ainsi amené à admettre la relativité des valeurs.

Les trois questions de l'examinateur

Question 1. D'après vous, pourquoi des philosophes des Lumières comme Montesquieu (dans les *Lettres persanes*), Voltaire (dans *Candide*) et Diderot (dans le *Supplément au Voyage de Bougainville*) ont-ils choisi des personnages projetant un regard naïf sur la société de leur temps ?

Question 2. En quoi ce texte met-il en scène l'opposition entre nature et culture ?

Question 3. Quels autres philosophes des Lumières se sont intéressés à l'opposition entre nature et culture ?

Chapitre IV

Suite de l'entretien de l'aumônier avec l'habitant d'Otaïti

Orou. – L'heureux moment pour une jeune fille et pour ses parents que celui où sa grossesse est constatée ! Elle se lève, elle accourt, elle jette ses bras autour du cou de sa mère et de son père, c'est avec des transports d'une joie mutuelle qu'elle leur annonce et qu'ils apprennent cet événement. *Maman ! mon papa ! embrassez-moi : je suis grosse — Est-il bien vrai ? — Très vrai. — Et de qui l'êtes-vous ? — Je le suis d'un tel.*

L'Aumônier. – Comment peut-elle nommer le père de son enfant ?

Orou. – Pourquoi veux-tu qu'elle l'ignore ? Il en est de la durée de nos amours comme de celle de nos mariages ; elle est au moins d'une lune à la lune suivante.

L'Aumônier. – Et cette règle est bien scrupuleusement observée ?

Orou. – Tu vas en juger. D'abord l'intervalle de deux lunes n'est pas long ; mais lorsque deux pères ont une prétention bien fondée à la formation d'un enfant, il n'appartient plus à sa mère.

L'Aumônier. – À qui appartient-il donc ?

Orou. – À celui des deux à qui il lui plaît de le donner. Voilà tout son privilège ; et un enfant étant par lui-même un objet d'intérêt et de richesse, tu conçois que parmi nous les libertines sont rares, et que les jeunes garçons s'en éloignent.

L'Aumônier. – Vous avez donc aussi vos libertines ? J'en suis bien aise.

Orou. – Nous en avons même de plus d'une sorte. Mais tu m'écartes
25 de mon sujet. Lorsqu'une de nos filles est grosse, si le père de l'enfant est un jeune homme beau, bien fait, brave, intelligent et laborieux, l'espérance que l'enfant héritera des vertus de son père renouvelle l'allégresse[1]. Notre enfant n'a honte que d'un mauvais choix. Tu dois concevoir quel prix nous attachons à la santé, à la beauté, à
30 la force, à l'industrie, au courage ; tu dois concevoir comment, sans que nous nous en mêlions, les prérogatives[2] du sang doivent s'éterniser parmi nous. Toi, qui as parcouru différentes contrées, dis-moi si tu as remarqué dans aucune autant de beaux hommes et autant de belles femmes que dans Otaïti. Regarde-moi, comment
35 me trouves-tu ? Eh bien, il y a dix mille hommes ici plus grands, aussi robustes, mais pas un plus brave que moi. Aussi les mères me désignent-elles souvent à leurs filles.

L'Aumônier. – Mais de tous ces enfants que tu peux avoir faits hors de ta cabane, que t'en revient-il ?

40 **Orou**. – Le quatrième mâle ou femelle. Il s'est établi parmi nous une circulation d'hommes, de femmes et d'enfants, ou de bras de tout âge et de toute fonction, qui est bien d'une autre importance que celle de vos denrées qui n'en sont que le produit.

L'Aumônier. – Je le conçois. Qu'est-ce que c'est que ces voiles noirs
45 que j'ai rencontrés quelquefois ?

Orou. – Le signe de la stérilité, vice de naissance ou suite de l'âge avancé. Celle qui quitte ce voile et se mêle avec les hommes est une libertine. Celui qui relève ce voile et s'approche de la femme stérile est un libertin.

50 **L'Aumônier**. – Et ces voiles gris ?

---

1. **Allégresse :** joie.
2. **Prérogatives :** qualités.

OROU. – Le signe de la maladie périodique[1]. Celle qui quitte ce voile et se mêle avec les hommes est une libertine. Celui qui le relève et s'approche de la femme malade est un libertin.

L'AUMÔNIER. – Avez-vous des châtiments pour ce libertinage ?

55 **OROU.** – Point d'autres que le blâme.

L'AUMÔNIER. – Un père peut-il coucher avec sa fille, une mère avec son fils, un frère avec sa sœur, un mari avec la femme d'un autre ?

OROU. – Pourquoi non ?

L'AUMÔNIER. – Passe pour la fornication[2] ; mais l'inceste[3] ! mais
60 l'adultère !

OROU. – Qu'est-ce que tu veux dire avec tes mots fornication, inceste, adultère ?

L'AUMÔNIER. – Des crimes, des crimes énormes pour l'un desquels l'on brûle dans mon pays.

65 **OROU.** – Qu'on brûle ou qu'on ne brûle pas dans ton pays, peu m'importe. Mais tu n'accuseras pas les mœurs d'Europe par celles d'Otaïti, ni par conséquent les mœurs d'Otaïti par celles de ton pays. Il nous faut une règle plus sûre ; et quelle sera cette règle ? En connais-tu une autre que le bien général et l'utilité particulière ? À
70 présent dis-moi ce que ton crime inceste a de contraire à ces deux fins de nos actions. Tu te trompes, mon ami, si tu crois qu'une loi une fois publiée, un mot ignominieux inventé, un supplice décerné, tout est dit. Réponds-moi donc, Qu'entends-tu par inceste ?

L'AUMÔNIER. – Mais un inceste…

75 **OROU.** – Un inceste… Y a-t-il longtemps que ton grand ouvrier sans tête, sans mains et sans outils, a fait le monde ?

L'AUMÔNIER. – Non.

---

1. **Maladie périodique :** menstruations.
2. **Fornication :** relations sexuelles entre personnes non mariées.
3. **Inceste :** relations sexuelles entre membres de la même famille.

Orou. – Fit-il toute l'espèce humaine à la fois ?

L'Aumônier. – Il créa seulement une femme et un homme.

80 Orou. – Eurent-ils des enfants ?

L'Aumônier. – Assurément.

Orou. – Suppose que ces deux premiers parents n'aient eu que des filles et que leur mère soit morte la première, ou qu'ils n'aient eu que des garçons et que la femme ait perdu son mari.

85 L'Aumônier. – Tu m'embarrasses ; mais tu as beau dire, l'inceste est un crime abominable, et parlons d'autre chose.

Orou. – Cela te plaît à dire. Je me tais, moi, tant que tu ne m'auras pas dit ce que c'est que le crime abominable *inceste*.

L'Aumônier. – Eh bien, je t'accorde que peut-être l'inceste ne blesse
90 en rien la nature, mais ne suffit-il pas qu'il menace la constitution politique ? Que deviendraient la sûreté d'un chef et la tranquillité d'un État, si toute une nation composée de plusieurs millions d'hommes se trouvait rassemblée autour d'une cinquantaine de pères de famille ?

95 Orou. – Le pis-aller, c'est qu'où il n'y a qu'une grande société, il y en aurait cinquante petites : plus de bonheur et un crime de moins.

L'Aumônier. – Je crois cependant que même ici un fils couche rarement avec sa mère.

Orou. – À moins qu'il n'ait beaucoup de respect pour elle et une
100 tendresse qui lui fasse oublier la disparité d'âge et préférer une femme de quarante ans à une fille de dix-neuf.

L'Aumônier. – Et le commerce des pères avec leurs filles ?

Orou. – Guère plus fréquent, à moins que la fille ne soit laide et peu recherchée. Si son père l'aime, il s'occupe à lui préparer sa
105 dot en enfants.

L'Aumônier. – Cela me fait imaginer que le sort des femmes que la nature a disgraciées ne doit pas être heureux dans Otaïti.

OROU. – Cela me prouve que tu n'as pas une haute opinion de la générosité de nos jeunes gens.

110 L'AUMÔNIER. – Pour les unions des frères et des sœurs, je ne doute pas qu'elles ne soient très communes.

OROU. – Et très approuvées.

L'AUMÔNIER. – À t'entendre, cette passion qui produit tant de crimes et de maux dans nos contrées, serait ici tout à fait innocente.

115 OROU. – Étranger, tu manques de jugement et de mémoire. De jugement, car, partout où il y a défense, il faut qu'on soit tenté de faire la chose défendue et qu'on la fasse. De mémoire, puisque tu ne te souviens plus de ce que je t'ai dit. Nous avons de vieilles dissolues qui sortent la nuit sans leur voile noir et reçoivent des
120 hommes lorsqu'il ne peut rien résulter de leur approche ; si elles sont reconnues ou surprises, l'exil au nord de l'île ou l'esclavage est leur châtiment. Des filles précoces qui relèvent leur voile blanc à l'insu de leurs parents, et nous avons pour elles un lieu fermé dans la cabane. Des jeunes hommes qui déposent leur chaîne avant le
125 temps prescrit par la nature et par la loi, et nous en réprimandons leurs parents. Des femmes à qui le temps de la grossesse paraît long ; des femmes et des filles peu scrupuleuses à garder leur voile gris ; mais dans le fait nous n'attachons pas une grande importance à toutes ces fautes, et tu ne saurais croire combien l'idée de richesse
130 particulière ou publique unie dans nos têtes à l'idée de population[1] épure nos mœurs sur ce point.

L'AUMÔNIER. – La passion de deux hommes pour une même femme, ou le goût de deux femmes ou de deux filles pour un même homme n'occasionnent-ils point de désordres ?

135 OROU. – Je n'en ai pas encore vu quatre exemples. Le choix de la femme ou celui de l'homme finit tout. La violence d'un homme serait une faute grave, mais il faut une plainte publique, et il est presque inouï qu'une fille ou qu'une femme se soit plainte. La seule

---

1. Population : reproduction.

140 chose que j'aie remarquée, c'est que nos femmes ont moins de pitié des hommes laids que nos jeunes gens des femmes disgraciées, et nous n'en sommes pas fâchés.

L'Aumônier. – Vous ne connaissez guère la jalousie, à ce que je vois ; mais la tendresse maritale, l'amour paternel, ces deux sentiments si puissants et si doux, s'ils ne sont pas étrangers ici, y doivent être
145 assez faibles.

Orou. – Nous y avons suppléé par un autre qui est tout autrement général, énergique et durable, l'intérêt. Mets la main sur la conscience, laisse là cette fanfaronnade de vertu qui est sans cesse sur les lèvres de tes camarades et qui ne réside pas au fond de leur cœur. Dis-moi
150 si, dans quelque contrée que ce soit, il y a un père qui, sans la honte qui le retient, n'aimât mieux perdre son enfant, un mari qui n'aimât mieux perdre sa femme que sa fortune et l'aisance de toute sa vie. Sois sûr que partout où l'homme sera attaché à la conservation de son semblable comme à son lit, à sa santé, à son repos, à sa cabane,
155 à ses fruits, à ses champs, il fera pour lui tout ce qu'il est possible de faire. C'est ici que les pleurs trempent la couche d'un enfant qui souffre ; c'est ici que les mères sont soignées dans la maladie ; c'est ici qu'on prise une femme féconde, une fille nubile, un garçon adolescent ; c'est ici qu'on s'occupe de leur institution[1], parce
160 que leur conservation est toujours un accroissement, et leur perte toujours une diminution de fortune.

L'Aumônier. – Je crains bien que ce sauvage n'ait raison. Le paysan misérable de nos contrées qui excède[2] sa femme pour soulager son cheval, laisse périr son enfant sans secours, et appelle le médecin
165 pour son bœuf...

Orou. – Je n'entends pas trop ce que tu viens de dire ; mais, à ton retour dans ta patrie si policée[3], tâche d'y introduire ce ressort, et c'est alors qu'on y sentira le prix de l'enfant qui naît et l'importance

---

1. **Institution :** éducation.
2. **Excède :** bat.
3. **Policée :** civilisée.

de la population. Veux-tu que je te révèle un secret ? mais prends
170 garde qu'il ne t'échappe. Vous arrivez, nous vous abandonnons nos
femmes et nos filles, vous vous en étonnez, vous nous en témoignez
une gratitude qui nous fait rire. Vous nous remerciez, lorsque nous
asseyons sur toi et sur tes compagnons la plus forte de toutes les
impositions[1]. Nous ne t'avons point demandé d'argent, nous ne
175 nous sommes point jetés sur tes marchandises, nous avons méprisé
tes denrées ; mais nos femmes et nos filles sont venues exprimer[2] le
sang de tes veines. Quand tu t'éloigneras, tu nous auras laissé des
enfants ; ce tribut levé sur ta personne, sur ta propre substance, à
ton avis n'en vaut-il pas bien un autre ? et si tu veux en apprécier la
180 valeur, imagine que tu aies deux cents lieues[3] de côtes à courir, et
qu'à chaque vingt milles[4] on te mette à pareille contribution. Nous
avons des terres immenses en friche, nous manquons de bras, et
nous t'en avons demandé : nous avons des calamités épidémiques à
réparer, et nous t'avons employé à réparer le vide qu'elles laisseront ;
185 nous avons des ennemis voisins à combattre, un besoin de soldats,
et nous t'avons prié de nous en faire ; le nombre de nos femmes et
de nos filles est trop grand pour celui des hommes, et nous t'avons
associé à notre tâche. Parmi ces femmes et ces filles, il y en a dont
nous n'avons jamais pu obtenir d'enfants, et ce sont celles que nous
190 avons exposées à vos premiers embrassements. Nous avons à payer
une redevance en hommes, à un voisin oppresseur, c'est toi et tes
camarades qui nous défrayeront, et dans cinq à six ans nous lui
enverrons vos fils, s'ils valent moins que les nôtres. Plus robustes,
plus sains que vous, nous nous sommes aperçus au premier coup
195 d'œil que vous nous surpassiez en intelligence, et sur-le-champ, nous
vous avons destiné quelques-unes de nos femmes et de nos filles
les plus belles à recueillir la semence d'une race meilleure que la
nôtre. C'est un essai que nous avons tenté et qui pourra nous réussir.
Nous avons tiré de toi et des tiens le seul parti que nous en pouvions

---

1. **Impositions :** impôts.
2. **Exprimer :** tirer, vider.
3. **Deux cents lieues :** environ 800 km.
4. **Vingt milles :** environ 40 km.

200 tirer, et crois que tout sauvages que nous sommes, nous savons aussi calculer. Va où tu voudras, et tu trouveras presque toujours l'homme aussi fin que toi. Il ne te donnera jamais que ce qui ne lui est bon à rien et te demandera toujours ce qui lui est utile : s'il te présente un morceau d'or pour un morceau de fer, c'est qu'il ne fait aucun
205 cas de l'or et qu'il prise le fer. Mais dis-moi donc pourquoi tu n'es pas vêtu comme les autres ? Que signifie cette casaque longue qui t'enveloppe de la tête aux pieds et ce sac pointu que tu laisses tomber sur tes épaules ou que tu ramènes sur tes oreilles ?

L'Aumônier. – C'est que tel que tu me vois, je me suis engagé dans
210 une société d'hommes qu'on appelle dans mon pays des moines. Le plus sacré de leurs vœux est de n'approcher d'aucune femme et de ne point faire d'enfants.

Orou. – Que faites-vous donc ?

L'Aumônier. – Rien.

215 Orou. – Et ton magistrat souffre cette espèce de paresseux, la pire de toutes ?

L'Aumônier. – Il fait plus, il la respecte et la fait respecter.

Orou. – Ma première pensée était que la nature, quelque accident, ou un art cruel vous avait privés de la faculté de produire votre
220 semblable, et que par pitié on aimait mieux vous laisser vivre que de vous tuer. Mais, moine, ma fille m'a dit que tu étais un homme et un homme aussi robuste qu'un Otaïtien, et qu'elle espérait que tes caresses réitérées ne seraient pas infructueuses. À présent que j'ai compris pourquoi tu t'es écrié hier au soir : *Mais ma religion !*
225 *mais mon état !* pourrais-tu m'apprendre le motif de la faveur et du respect que les magistrats vous accordent ?

L'Aumônier. – Je l'ignore.

Orou. – Tu sais au moins par quelle raison, étant homme, tu t'es librement condamné à ne le pas être ?

230 L'Aumônier. – Cela serait trop long et trop difficile à t'expliquer.

ORou. – Et ce vœu de stérilité, le moine y est-il bien fidèle?

L'AumÔnier. – Non.

Orou. – J'en étais sûr. Avez-vous aussi des moines femelles?

L'AumÔnier. – Oui.

235 Orou. – Aussi sages que les moines mâles?

L'AumÔnier. – Plus renfermées, elles sèchent de douleur, périssent d'ennui.

Orou. – Et l'injure faite à la nature est vengée. Ô le vilain pays! si tout y est ordonné comme ce que tu m'en dis, vous êtes plus
240 barbares que nous.

Le bon aumônier raconte qu'il passa le reste de la journée à parcourir l'île, à visiter les cabanes, et que le soir, après souper, le père et la mère l'ayant supplié de coucher avec la seconde de leurs filles, Palli s'était présentée dans le même déshabillé que Thia, et
245 qu'il s'était écrié plusieurs fois pendant la nuit: *Mais ma religion! mais mon état!* que la troisième nuit il avait été agité des mêmes remords avec Asto l'aînée, et que la quatrième, il l'avait accordée par honnêteté[1] à la femme de son hôte.

A. – J'estime cet aumônier poli.

250 B. – Et moi, beaucoup davantage les mœurs des Otaïtiens et le discours d'Orou.

---

1. **Honnêteté :** politesse (emploi ironique).

Chapitre V

Suite du dialogue entre A et B

A. – Quoiqu'un peu modelé à l'européenne.

B. – Je n'en doute pas.

Ici le bon aumônier se plaint de la brièveté de son séjour dans Otaïti et de la difficulté de mieux connaître les usages d'un peuple
5 assez sage pour s'être arrêté de lui-même à la médiocrité[1], ou assez heureux pour habiter un climat dont la fertilité lui assurait un long engourdissement ; assez actif pour s'être mis à l'abri des besoins absolus de la vie, et assez indolent pour que son innocence, son repos et sa félicité n'eussent rien à redouter d'un progrès trop
10 rapide de ses lumières. Rien n'y était mal par l'opinion ou par la loi que ce qui était mal de sa nature. Les travaux et les récoltes s'y faisaient en commun. L'acception du mot propriété y était très étroite. La passion de l'amour, réduite à un simple appétit physique, n'y produisait aucun de nos désordres. L'île entière offrait l'image
15 d'une seule famille nombreuse dont chaque cabane représentait les divers appartements d'une de nos grandes maisons. Il finit par protester que ces Otaïtiens seront toujours présents à sa mémoire ; qu'il avait été tenté de jeter ses vêtements dans le vaisseau et de passer le reste de ses jours parmi eux, et qu'il craint bien de se
20 repentir plus d'une fois de ne l'avoir pas fait.

A. – Malgré cet éloge, quelles conséquences utiles à tirer des mœurs et des usages bizarres d'un peuple non civilisé ?

---

1. Médiocrité : juste milieu.

B. – Je vois qu'aussitôt que quelques causes physiques, telles, par exemple, que la nécessité de vaincre, l'ingratitude du sol ont mis
25 en jeu la sagacité[1] de l'homme, cet élan le conduit bien au-delà du but, et que le terme du besoin passé, on est porté dans l'océan sans bornes des fantaisies, d'où l'on ne se tire plus. Puisse l'heureux Otaïtien s'arrêter où il en est ! Je vois que, excepté dans ce recoin écarté de notre globe, il n'y a point eu de mœurs, et qu'il n'y en
30 aura peut-être jamais nulle part.

A. – Qu'entendez-vous donc par des mœurs ?

B. – J'entends une soumission générale et une conduite conséquente à des lois bonnes ou mauvaises. Si les lois sont bonnes, les mœurs sont bonnes ; si les lois sont mauvaises, les mœurs sont mauvaises. Si les
35 lois, bonnes ou mauvaises, ne sont point observées, la pire condition d'une société, il n'y a point de mœurs. Or comment voulez-vous que des lois s'observent quand elles se contredisent ? Parcourez l'histoire des siècles et des nations tant anciennes que modernes, et vous trouverez les hommes assujettis à trois codes, le code de la
40 nature, le code civil et le code religieux, et contraints d'enfreindre alternativement ces trois codes qui n'ont jamais été d'accord ; d'où il est arrivé qu'il n'y a eu dans aucune contrée, comme Orou l'a deviné de la nôtre, ni homme, ni citoyen, ni religieux.

A. – D'où vous conclurez sans doute qu'en fondant la morale sur les
45 rapports éternels qui subsistent entre les hommes, la loi religieuse devient peut-être superflue, et que la loi civile ne doit être que l'énonciation de la loi de nature.

B. – Et cela sous peine de multiplier les méchants, au lieu de faire des bons.

50 **A.** – Ou que si l'on juge nécessaire de les conserver toutes trois, il faut que les deux dernières ne soient que des calques rigoureux de la première que nous apportons gravée au fond de nos cœurs et qui sera toujours la plus forte.

---

1. **Sagacité :** perspicacité.

B. – Cela n'est pas exact. Nous n'apportons en naissant qu'une
similitude d'organisation avec d'autres êtres, les mêmes besoins,
de l'attrait vers les mêmes plaisirs, une aversion commune pour les
mêmes peines : ce qui constitue l'homme ce qu'il est, et doit fonder
la morale qui lui convient.

A. – Cela n'est pas aisé.

B. – Cela est si difficile que je croirais volontiers le peuple le plus
sauvage de la terre, l'Otaïtien qui s'en est tenu scrupuleusement
à la loi de nature, plus voisin d'une bonne législation qu'aucun
peuple civilisé.

A. – Parce qu'il lui est plus facile de se défaire de son trop de rusticité
qu'à nous de revenir sur nos pas et de réformer nos abus.

B. – Surtout ceux qui tiennent à l'union de l'homme avec la femme.

A. – Cela se peut ; mais commençons par le commencement. Inter-
rogeons bonnement la nature, et voyons sans partialité ce qu'elle
nous répondra sur ce point.

B. – J'y consens.

A. – Le mariage est-il dans la nature ?

B. – Si vous entendez par le mariage la préférence qu'une femelle
accorde à un mâle sur tous les autres mâles, ou celle qu'un mâle
donne à une femelle sur toutes les autres femelles, préférence
mutuelle en conséquence de laquelle il se forme une union plus
ou moins durable qui perpétue l'espèce par la reproduction des
individus, le mariage est dans la nature.

A. – Je le pense comme vous ; car cette préférence se remarque non
seulement dans l'espèce humaine, mais encore dans les autres espèces
d'animaux, témoin ce nombreux cortège de mâles qui poursuivent
une même femelle, au printemps, dans nos campagnes, et dont un
seul obtient le titre de mari. Et la galanterie ?

B. – Si vous entendez par galanterie cette variété de moyens éner-
giques ou délicats que la passion inspire soit au mâle, soit à la

85 femelle, pour obtenir cette préférence qui conduit à la plus douce, la plus importante et la plus générale des jouissances, la galanterie est dans la nature.

A. – Je le pense comme vous : témoin toute cette diversité de gentillesses pratiquée par le mâle pour plaire à la femelle, et par la femelle
90 pour irriter la passion et fixer le goût du mâle. Et la coquetterie ?

B. – C'est un mensonge qui consiste à simuler une passion qu'on ne sent pas et à promettre une préférence qu'on n'accordera point. Le mâle coquet se joue de la femelle, la femelle coquette se joue du mâle, jeu perfide qui amène quelquefois les catastrophes les
95 plus funestes, manège ridicule dont le trompeur et le trompé sont également châtiés par la perte des instants les plus précieux de leur vie.

A. – Ainsi la coquetterie, selon vous, n'est pas dans la nature ?

B. – Je ne dis pas cela.

100 **A.** – Et la constance ?

B. – Je ne vous en dirai rien de mieux que ce qu'en a dit Orou à l'aumônier : pauvre vanité de deux enfants qui s'ignorent eux-mêmes et que l'ivresse d'un instant aveugle sur l'instabilité de tout ce qui les entoure.

105 **A.** – Et la fidélité, ce rare phénomène ?

B. – Presque toujours l'entêtement et le supplice de l'honnête homme et de l'honnête femme dans nos contrées ; chimère à Otaïti.

A. – La jalousie ?

B. – Passion d'un animal indigent et avare qui craint de manquer ;
110 sentiment injuste de l'homme : conséquence de nos fausses mœurs et d'un droit de propriété étendu sur un objet sentant, pensant, voulant et libre.

A. – Ainsi la jalousie, selon vous, n'est pas dans la nature ?

B. – Je ne dis pas cela. Vices et vertus, tout est également dans la
115 nature.

A. – Le jaloux est sombre[1].

B. – Comme le tyran, parce qu'il en a la conscience.

A. – La pudeur ?

B. – Mais vous m'engagez là dans un cours de morale galante. L'homme
ne veut être ni troublé ni distrait dans ses jouissances ; celles de
l'amour sont suivies d'une faiblesse qui l'abandonnerait à la merci
de son ennemi. Voilà tout ce qu'il pourrait y avoir de naturel dans
la pudeur, le reste est d'institution[2]. L'aumônier remarque dans un
troisième morceau que je ne vous ai point lu que l'Otaïtien ne rougit
pas des mouvements involontaires qui s'excitent en lui[3] à côté de sa
femme, au milieu de ses filles, et que celles-ci en sont spectatrices,
quelquefois émues, jamais embarrassées. Aussitôt que la femme
devint la propriété de l'homme et que la jouissance furtive d'une
fille fut regardée comme un vol, on vit naître les termes pudeur,
retenue, bienséance, des vertus et des vices imaginaires, en un mot
entre les deux sexes des barrières qui empêchassent de s'inviter
réciproquement à la violation des lois qu'on leur avait imposées,
et qui produisirent souvent un effet contraire en échauffant l'ima-
gination et en irritant les désirs. Lorsque je vois des arbres plantés
autour de nos palais et un vêtement de cou qui cache et montre
une partie de la gorge d'une femme, il me semble reconnaître un
retour secret vers la forêt et un appel à la liberté première de notre
ancienne demeure. L'Otaïtien nous dirait : *Pourquoi te caches-tu ? De
quoi es-tu honteuse ? Fais-tu le mal quand tu cèdes à l'impulsion la plus
auguste de la nature ? Homme, présente-toi franchement, si tu plais ; femme,
si cet homme te convient, reçois-le avec la même franchise.*

A. – Ne vous fâchez pas. Si nous débutons comme des hommes
civilisés, il est rare que nous ne finissions pas comme l'Otaïtien.

B. – Oui, mais ces préliminaires de convention consument la moitié
de la vie d'un homme de génie.

---

1. Sombre : triste, mélancolique.
2. D'institution : établi par les hommes.
3. Mouvements involontaires qui s'excitent en lui : érection.

A. – J'en conviens ; mais qu'importe, si cet élan pernicieux de l'esprit humain contre lequel vous vous êtes récrié tout à l'heure en est d'autant ralenti ? Un philosophe de nos jours, interrogé pourquoi les hommes faisaient la cour aux femmes et non les femmes la cour aux hommes, répondit qu'il était naturel de demander à celui qui pouvait toujours accorder.

B. – Cette raison m'a paru de tout temps plus ingénieuse que solide. La nature indécente, si vous voulez, presse indistinctement un sexe vers l'autre, et dans un état de l'homme triste et sauvage qui se conçoit et qui peut-être n'existe nulle part...

A. – Pas même à Otaïti ?

B. – Non ; l'intervalle qui séparerait un homme d'une femme serait franchi par le plus amoureux. S'ils s'attendent, s'ils se fuient, s'ils se poursuivent, s'ils s'évitent, s'ils s'attaquent, s'ils se défendent, c'est que la passion inégale dans ses progrès[1] ne s'explique pas en eux de la même force[2] ; d'où il arrive que la volupté se répand, se consomme et s'éteint d'un côté, lorsqu'elle commence à peine à s'élever de l'autre, et qu'ils en restent tristes tous deux. Voilà l'image fidèle de ce qui se passerait entre deux êtres libres, jeunes et parfaitement innocents. Mais lorsque la femme a connu, par l'expérience ou l'éducation, les suites plus ou moins cruelles d'un moment doux, son cœur frissonne à l'approche de l'homme. Le cœur de l'homme ne frissonne point ; ses sens commandent et il obéit. Les sens de la femme s'expliquent et elle craint de les écouter ; c'est l'affaire de l'homme que de la distraire de sa crainte, de l'enivrer et de la séduire. L'homme conserve toute son impulsion naturelle vers la femme ; l'impulsion naturelle de la femme vers l'homme, dirait un géomètre, est en raison composée de la directe de la passion et de l'inverse de la crainte, raison qui se complique d'une multitude d'éléments divers dans nos sociétés, éléments qui concourent presque tous à

---

1. Ses progrès : son avancement.
2. Ne s'explique pas en eux de la même force : ne se développe pas de la même manière.

accroître la pusillanimité[1] d'un sexe et la durée de la poursuite de l'autre. C'est une espèce de tactique où les ressources de la défense et les moyens de l'attaque ont marché sur la même ligne. On a consacré[2] la résistance de la femme, on a attaché l'ignominie à la
180 violence de l'homme, violence qui ne serait qu'une injure légère dans Otaïti et qui devient un crime dans nos cités.

A. – Mais comment est-il arrivé qu'un acte dont le but est si solennel et auquel la nature nous invite par l'attrait le plus puissant, que le plus grand, le plus doux, le plus innocent des plaisirs, soit devenu
185 la source la plus féconde de notre dépravation et de nos maux ?

B. – Orou l'a fait entendre dix fois à l'aumônier. Écoutez-le donc encore et tâchez de le retenir :

C'est par la tyrannie de l'homme qui a converti la possession de la femme en une propriété.

190 Par les mœurs et les usages qui ont surchargé de conditions l'union conjugale.

Par les lois civiles qui ont assujetti le mariage à une infinité de formalités.

Par la nature de notre société où la diversité des fortunes et des
195 rangs a institué des convenances et des disconvenances.

Par une contradiction bizarre et commune à toutes les sociétés subsistantes, où la naissance d'un enfant, toujours regardée comme un accroissement de richesse pour la nation, est plus souvent et plus sûrement encore un accroissement d'indigence dans la famille.

200 Par les vues politiques des souverains, qui ont tout rapporté à leur intérêt et à leur sécurité.

Par les institutions religieuses, qui ont attaché les noms de vices et de vertus à des actions qui n'étaient susceptibles d'aucune moralité.

205 Combien nous sommes loin de la nature et du bonheur ! L'empire de la nature ne peut être détruit ; on aura beau le contrarier

---

1. **Pusillanimité :** lâcheté.
2. **Consacré :** fait l'éloge (injustifié) de.

par des obstacles, il durera. Écrivez tant qu'il vous plaira sur des tables d'airain[1], pour me servir de l'expression du sage Marc-Aurèle, que le frottement voluptueux de deux intestins[2] est un crime, le cœur de l'homme sera froissé[3] entre la menace de votre inscription et la violence de ses penchants. Mais ce cœur indocile ne cessera de réclamer ; et cent fois dans le cours de la vie vos caractères effrayants disparaîtront à nos yeux. Gravez sur le marbre : *Tu ne mangeras ni de l'ixion, ni du griffon[4] ; tu ne connaîtras[5] que ta femme, tu ne seras point le mari de ta sœur…* mais vous n'oublierez pas d'accroître les châtiments à proportion de la bizarrerie de vos défenses ; vous deviendrez féroces, et vous ne réussirez point à me dénaturer.

A. – Que le code des nations serait court, si on le conformait rigoureusement à celui de la nature ! combien de vices et d'erreurs épargnés à l'homme !

B. – Voulez-vous savoir l'histoire abrégée de presque toute notre misère ? La voici. Il existait un homme naturel ; on a introduit au-dedans de cet homme un homme artificiel, et il s'est élevé dans la caverne une guerre continuelle qui dure toute la vie. Tantôt l'homme naturel est le plus fort, tantôt il est terrassé par l'homme moral et artificiel ; et dans l'un et l'autre cas le triste monstre est tiraillé, tenaillé, tourmenté, étendu sur la roue, sans cesse gémissant, sans cesse malheureux, soit qu'un faux enthousiasme de gloire le transporte et l'enivre, ou qu'une fausse ignominie le courbe et l'abatte. Cependant il est des circonstances extrêmes qui ramènent l'homme à sa première simplicité.

A. – La misère et la maladie, deux grands exorcistes.

---

1. Tables d'airain : tablettes de métal (inscription permanente et allusion aux dix commandements de l'Ancien Testament).
2. Frottement voluptueux de deux intestins : relation sexuelle (périphrase péjorative).
3. Froissé : déchiré, divisé.
4. Ixion et griffon : oiseaux de proie que la Bible interdit de manger.
5. Connaîtras : seras fidèle à.

B. – Vous les avez nommés. En effet, que deviennent alors toutes ces
235 vertus conventionnelles ? Dans la misère, l'homme est sans remords ;
dans la maladie, la femme est sans pudeur.

A. – Je l'ai remarqué.

B. – Mais un autre phénomène qui ne vous aura pas échappé davantage, c'est que le retour de l'homme artificiel et moral suit pas à pas
240 les progrès de l'état de maladie à l'état de convalescence et de l'état
de convalescence à l'état de santé ; le moment où l'infirmité cesse
est celui où la guerre intestine recommence, et presque toujours
avec désavantage pour l'intrus.

A. – Il est vrai. J'ai moi-même éprouvé que l'homme naturel avait
245 dans la convalescence une vigueur funeste pour l'homme artificiel
et moral. Mais enfin dites-moi, faut-il civiliser l'homme ou l'abandonner à son instinct ?

B. – Faut-il vous répondre net ?

A. – Sans doute.

250 **B.** – Si vous vous proposez d'en être le tyran, civilisez-le. Empoison-
nez-le de votre mieux d'une morale contraire à la nature ; faites-lui
des entraves[1] de toute espèce ; embarrassez ses mouvements de
mille obstacles ; attachez-lui des fantômes qui l'effrayent ; éternisez
la guerre dans la caverne, et que l'homme naturel y soit toujours
255 enchaîné sous les pieds de l'homme moral. Le voulez-vous heureux
et libre ? ne vous mêlez pas de ses affaires, assez d'incidents imprévus le conduiront à la lumière et à la dépravation, et demeurez à
jamais convaincu que ce n'est pas pour vous, mais pour eux que
ces sages législateurs vous ont pétri et maniéré[2] comme vous l'êtes.
260 J'en appelle à toutes les institutions politiques, civiles et religieuses ;
examinez-les profondément, et je me trompe fort, ou vous y verrez
l'espèce humaine pliée de siècle en siècle au joug qu'une poignée
de fripons se promettait de lui imposer. Méfiez-vous de celui qui

---

1. **Entraves :** chaînes.
2. **Maniéré :** façonné et civilisé.

veut mettre de l'ordre ; ordonner, c'est toujours se rendre le maître
265 des autres en les gênant, et les Calabrais sont presque les seuls à qui
la flatterie des législateurs n'en ait point encore imposé.

A. – Et cette anarchie de la Calabre[1] vous plaît ?

B. – J'en appelle à l'expérience, et je gage que leur barbarie est
moins vicieuse que notre urbanité[2]. Combien de petites scéléra-
270 tesses compensent ici l'atrocité de quelques grands crimes dont
on fait tant de bruit ! Je considère les hommes non civilisés comme
une multitude de ressorts épars et isolés. Sans doute, s'il arrivait
à quelques-uns de ces ressorts de se choquer, l'un ou l'autre ou
tous les deux se briseraient. Pour obvier[3] à cet inconvénient, un
275 individu d'une sagesse profonde et d'un génie sublime rassembla
ces ressorts et en composa une machine, et dans cette machine
appelée société tous les ressorts furent rendus agissants, réagissant
les uns contre les autres, sans cesse fatigués ; et il s'en rompit plus
dans un jour sous l'état de législation qu'il ne s'en rompait en un
280 an sous l'anarchie de nature. Mais quel fracas, quel ravage, quelle
énorme destruction de petits ressorts, lorsque deux, trois, quatre
de ces énormes machines vinrent à se heurter avec violence !

A. – Ainsi vous préféreriez l'état de nature brute et sauvage ?

B. – Ma foi, je n'oserais prononcer ; mais je sais qu'on a vu plusieurs
285 fois l'homme des villes se dépouiller et rentrer dans la forêt, et qu'on
n'a jamais vu l'homme de la forêt se vêtir et s'établir dans la ville.

A. – Il m'est venu souvent dans la pensée que la somme des biens et
des maux était variable pour chaque individu, mais que le bonheur
ou le malheur d'une espèce animale quelconque avait sa limite
290 qu'elle ne pouvait franchir, et que peut-être nos efforts nous rendaient en dernier résultat autant d'inconvénient que d'avantage,

---

1. La Calabre : l'état de désordre régnant dans cette région d'Italie a donné lieu à
une idéalisation dans le récit de voyage de Johann Hermann de Riedsel traduit en
français en 1773.
2. Notre urbanité : nos bonnes manières.
3. Obvier : remédier.

en sorte que nous nous étions bien tourmentés pour accroître les deux membres d'une équation entre lesquels il subsistait une éternelle et nécessaire égalité. Cependant je ne doute pas que la vie

295 moyenne de l'homme civilisé ne soit plus longue que la vie moyenne de l'homme sauvage.

B. – Et si la durée d'une machine n'est pas une juste mesure de son plus ou moins de fatigue, qu'en concluez-vous?

A. – Je vois qu'à tout prendre, vous inclineriez à croire les hommes

300 d'autant plus méchants et plus malheureux qu'ils sont plus civilisés.

B. – Je ne parcourrai pas toutes les contrées de l'univers, mais je vous avertis seulement que vous ne trouverez la condition de l'homme heureuse que dans Otaïti et supportable que dans un recoin de

305 l'Europe. Là, des maîtres ombrageux et jaloux de leur sécurité se sont occupés à le tenir dans ce que vous appelez l'abrutissement.

A. – À Venise[1] peut-être?

B. – Pourquoi non? Vous ne nierez pas du moins qu'il n'y ait nulle part moins de lumières acquises, moins de moralité artificielle, et

310 moins de vices et de vertus chimériques.

A. – Je ne m'attendais pas à l'éloge de ce gouvernement.

B. – Aussi ne le fais-je pas. Je vous indique une espèce de dédommagement de la servitude que tous les voyageurs ont senti et préconisé.

315 **A.** – Pauvre dédommagement!

B. – Peut-être. Les Grecs proscrivirent celui qui avait ajouté une corde à la lyre de Mercure[2].

---

1. Venise : au XVIIIe siècle, république indépendante gouvernée par l'aristocratie et qui compensait la perte de liberté des citoyens par le libertinage permis pendant le carnaval.
2. Proscrivirent celui qui avait ajouté une corde à la lyre de Mercure : condamnèrent à l'errance ou à la mort celui qui avait ajouté un élément à un ensemble parfait.

A. – Et cette défense est une satire sanglante de leurs premiers législateurs. C'est la première qu'il fallait couper.

320 **B.** – Vous m'avez compris. Partout où il y a une lyre il y a des cordes. Tant que les appétits naturels seront sophistiqués, comptez sur des femmes méchantes.

A. – Comme la Reymer.

B. – Sur des hommes atroces.

325 **A.** – Comme Gardeil.

B. – Et sur des infortunés à propos de rien.

A. – Comme Tanié, Mademoiselle de la Chaux, le chevalier Desroches et Madame de La Carlière[1]. Il est certain qu'on chercherait inutilement dans Otaïti des exemples de la dépravation des deux premiers 330 et du malheur des trois derniers. Que ferons-nous donc ? Reviendrons-nous à la nature ? Nous soumettrons-nous aux lois ?

B. – Nous parlerons contre les lois insensées jusqu'à ce qu'on les réforme et, en attendant, nous nous y soumettrons. Celui qui, de son autorité privée, enfreint une loi mauvaise, autorise tout autre à 335 cnfrcindrc lcs bonncs. Il y a moins d'inconvénient à être fou avec des fous qu'à être sage tout seul. Disons-nous à nous-mêmes, crions incessamment qu'on a attaché la honte, le châtiment et l'ignominie à des actions innocentes en elles-mêmes, mais ne les commettons pas, parce que la honte, le châtiment et l'ignominie sont les plus 340 grands de tous les maux. Imitons le bon aumônier, moine en France, sauvage dans Otaïti.

A. – Prendre le froc du pays où l'on va, et garder celui du pays où l'on est.

———————————

1. **Reymer, Gardeil, Tanié, Mlle de la Chaux, le chevalier Desroches et Madame de La Carlière :** personnages présents dans les deux contes de Diderot, qui forment, avec le *Supplément au Voyage de Bougainville* un triptyque : *Ceci n'est pas un conte* et *Madame de La Carlière*. Le premier raconte les amours malheureux de Tanié avec Mme Reymer et de Mlle de La Chaux avec Gardeil. Dans le second, Madame de La Carlière et Monsieur Desroches se séparent car elle n'a pas su lui pardonner une légère incartade, entraînant toute la famille dans le malheur.

B. – Et surtout être honnête et sincère jusqu'au scrupule avec des
345 êtres fragiles qui ne peuvent faire notre bonheur sans renoncer
aux avantages les plus précieux de nos sociétés. Et ce brouillard
épais, qu'est-il devenu ?

A. – Il est retombé.

B. – Et nous serons encore libres cet après-dîner de sortir ou de
350 rester ?

A. – Cela dépendra, je crois, un peu plus des femmes que de
nous.

B. – Toujours les femmes ; on ne saurait faire un pas sans les ren-
contrer à travers son chemin.

355 **A**. – Si nous leur lisions l'entretien de l'aumônier et d'Orou ?

B. – À votre avis, qu'en diraient-elles ?

A. – Je n'en sais rien.

B. – Et qu'en penseraient-elles ?

A. – Peut-être le contraire de ce qu'elles en diraient.

Pour comprendre l'essentiel

Un système de valeurs fondé sur la fécondité

❶ À Tahiti aussi, il existe des libertins. Définissez sur quels critères les Tahitiens les désignent comme tels et montrez que les actes sont jugés en fonction de leur lien avec la fécondité.

❷ L'inceste et l'adultère ne sont pas condamnés à Tahiti. Relevez et commentez les arguments et l'exemple employés par Orou pour ôter à ces actes leur aspect condamnable.

❸ Orou démontre à l'aumônier qu'en leur offrant leurs femmes, les Tahitiens ont profité des Européens. En relevant le champ lexical du commerce et les arguments donnés par Orou, montrez comment la semence apparaît concrètement comme une richesse.

❹ Orou ne cache pas le mépris qu'il porte aux moines. Montrez en quoi le vœu de chasteté se révèle contre-nature selon Orou.

Nature ou culture ?

❺ Au début du chapitre V, A et B s'interrogent sur la possibilité de transposer le modèle tahitien en Europe. Relevez les raisons qui rendent impossible la transposition d'un modèle dans une autre culture.

❻ A et B examinent les mœurs qui règlent les échanges amoureux dans leur société pour savoir lesquels sont dictés par la nature. Relevez-les et citez le paradoxe auquel A aboutit (p. 74).

❼ À la fin du chapitre V, B oppose l'homme naturel à l'homme artificiel. En vous aidant des figures d'opposition et d'exagération, montrez que ce dernier est en proie à de vives souffrances.

❽ Diderot propose une métaphore pour expliquer le fonctionnement de la société. Relevez-la et montrez que les difficultés que la société devait éviter ne sont pas levées mais au contraire multipliées (p. 80).

❾ La conclusion du *Supplément au Voyage de Bougainville* semble s'opposer au reste de l'œuvre. Relevez et commentez les maximes que A et B énoncent pour présenter l'attitude qu'il convient d'adopter où que l'on vive.

Rappelez-vous !

• Le *Supplément au Voyage de Bougainville* est un **ensemble hétérogène** : il se présente comme un **dialogue**, proche de la **conversation mondaine**, entre A et B dans lequel s'insèrent le **discours** du vieillard, le **dialogue philosophique** de l'aumônier et d'Orou et l'**histoire** de Polly Baker, composée essentiellement de son plaidoyer. La diversité des genres employés rompt la monotonie et propose plusieurs **points de vue** sur les mêmes questions. Elle implique une **lecture plurielle** d'un texte difficile à classer.

• L'opposition entre nature et culture parcourt toute l'œuvre et se résout de manière paradoxale. Alors que Diderot semble faire l'**apologie de l'état de nature**, il conclut néanmoins par la nécessité de **se plier aux lois de la société** dans laquelle l'on vit, même si elles sont sources de souffrances chez l'homme. C'est parce qu'un retour à un état antérieur est impossible que Diderot invite à respecter les usages en cours dans le lieu où l'on est car « il y a moins d'inconvénient à être fou avec des fous qu'à être sage tout seul ».

Vers l'oral du Bac

Analyse du chapitre V, l. 330-359, p. 82-83

☛ Montrer que Diderot énonce une leçon et une conclusion paradoxales

Conseils pour la lecture à voix haute

– Ce passage ne présente pas de difficultés particulières, mais il convient de ne pas en donner une lecture trop monotone.

– La lecture devra restituer l'alternance dans l'échange. Dans la première partie de l'extrait, le ton employé par B sera sérieux, voire didactique et devra contraster avec la légèreté de la fin de la conversation.

Analyse du texte

▨ *Introduction rédigée*

Le texte de Diderot se clôt sur un échange entre A et B qui tentent de tirer des conclusions instructives de leur lecture du *Supplément au Voyage de Bougainville*. Paradoxalement, après avoir fait l'apologie de la société tahitienne, de sa simplicité, de ses mœurs libres et du bonheur qu'elles induisent, B propose une conclusion inattendue: il invite à respecter les lois du pays dans lequel l'on se trouve en attendant que celles-ci évoluent de manière positive. Les Tahitiens n'offrent donc pas de modèle qui puisse s'appliquer en Europe. L'exemple de Tahiti n'a été qu'un prisme à travers lequel examiner le concept de société et ses différentes formes. De plus, la conversation légère et mondaine qui clôt le texte amène rétrospectivement à relativiser la portée de l'argumentaire valorisant une société simple et primitive et amène le lecteur à s'interroger sur la valeur à conférer à l'œuvre dans son ensemble.

■ *Analyse guidée*

I. La leçon finale

a. B semble proposer une leçon finale en répondant aux interrogations de A. En étudiant les temps employés et le déséquilibre de l'échange, montrez en quoi le dialogue se présente comme didactique.

b. Cet extrait se présente comme une conclusion. Relevez et commentez les maximes qui expriment la leçon finale du *Supplément*.

c. Une fois la discussion sur Tahiti terminée, B commente l'évolution du climat. Montrez comment la reprise du thème sur lequel s'ouvrait l'œuvre permet de la clore et expliquez la valeur symbolique que revêt la dissipation du brouillard.

II. Une conclusion aux allures de paradoxe

a. Le *Supplément au Voyage de Bougainville* fait l'éloge d'une société primitive qui s'oppose à la civilisation européenne dans laquelle A et B évoluent. Expliquez en quoi les principes défendus par B dans cet extrait sont contraires à ceux qu'il a valorisés dans tout le reste du dialogue.

b. Le dialogue philosophique entre A et B propose une fin pragmatique. Montrez comment B cherche à inciter à des actes et des comportements qui doivent préserver la société.

c. Les derniers propos échangés par A et B concernent les femmes. Étudiez l'image contradictoire que A donne des femmes, puis soulignez en quoi cette image prolonge la leçon de relativité dispensée dans l'œuvre.

III. Une véritable leçon de sagesse?

a. Le *Supplément* est encadré par la conversation de A et B. Dites quel sens cela confère aux réflexions sur Tahiti et montrez en quoi cela rapproche les chapitres II, III et IV d'une utopie.

b. À la fin de l'extrait, A propose de lire l'entretien de l'aumônier et d'Orou aux femmes. Après avoir rappelé rapidement en quoi le thème de la femme et de son statut dans la société est central dans l'œuvre, montrez en quoi Diderot invite à reconsidérer la question des mœurs du point de vue des femmes.

c. La réplique finale, qui apparaît comme un clin d'œil au lecteur, laisse percevoir la dimension ludique que le texte conserve jusqu'au bout. Montrez que Diderot assigne ainsi à son œuvre une double fonction: instruire et divertir.

■ *Conclusion rédigée*

La fin du *Supplément au Voyage de Bougainville* apparaît comme doublement surprenante, à la fois parce qu'elle nous propose une conclusion qui invite au conservatisme et au respect des lois alors qu'il a été établi à plusieurs reprises que celles-ci contrariaient la nature, ne pouvaient être respectées et rendaient l'homme malheureux; et parce que Diderot semble finalement inscrire l'ensemble de l'œuvre dans une tonalité mondaine et légère alors que les registres utilisés et les argumentaires produits invitaient à une lecture plus sérieuse. Diderot choisit donc de refuser de laisser enfermer le *Supplément au Voyage de Bougainville* dans des catégories: il réaffirme ainsi l'hétérogénéité et l'originalité de son texte et lui confère une réelle modernité en mettant à mal les conventions littéraires.

Les trois questions de l'examinateur

Question 1. La question nature/culture a-t-elle encore aujourd'hui une actualité (film, livre)?

Question 2. De quel genre littéraire le *Supplément au Voyage de Bougainville* vous paraît-il le plus proche?

Question 3. En quoi peut-on dire que la fin du *Supplément au Voyage de Bougainville* dispense un enseignement?

Le tour de l'œuvre en 9 fiches

Sommaire

Fiche 1   Diderot en 20 dates   90

Fiche 2   L'œuvre dans son contexte   91

Fiche 3   La structure de l'œuvre   92

Fiche 4   Les grands thèmes de l'œuvre   95

Fiche 5   Une réflexion sur l'Homme   97

Fiche 6   Une œuvre inclassable ?   99

Fiche 7   Les Lumières   103

Fiche 8   Du *Voyage autour du monde*   105
           au *Supplément*

Fiche 9   Citations   107

Fiche 1

Diderot en 20 dates

1713	Naissance de Denis Diderot à Langres.
1723	Études au collège jésuite de Langres.
1728	Études à Paris à l'issue desquelles il est reçu maître ès arts de l'Université de Paris.
1732	Vie de bohème.
1742	Rencontre et amitié avec Jean-Jacques Rousseau (jusqu'en 1758).
1743	Mariage secret avec Anne-Antoinette Champion.
1746	Publication des *Pensées philosophiques*, condamnées par le Parlement.
1747	Contrat de Diderot et d'Alembert avec des libraires pour la direction de l'*Encyclopédie*.
1748	Parution anonyme des *Bijoux indiscrets*.
1749	Arrestation suite à la publication de la *Lettre sur les aveugles à l'usage de ceux qui voient* à cause des idées subversives qu'elle contient. Emprisonnement de juillet à novembre.
1751	Publication de la *Lettre sur les sourds et muets à l'usage de ceux qui entendent et qui parlent*. Parution du premier tome de l'*Encyclopédie*.
1753	Naissance de Marie-Angélique, quatrième enfant mais seule survivante des enfants de Diderot.
1755	Liaison avec Louise-Henriette Volland, surnommée Sophie, et qui donne lieu à une abondante correspondance.
1759	Révocation du privilège d'impression de l'*Encyclopédie*.
1760	Rédaction de *La Religieuse*.
1769	Rédaction du *Rêve de d'Alembert*.
1771	Première version de *Jacques le Fataliste*.
1773	Publication de *Ceci n'est pas un conte*, *Madame de La Carlière* et du **Supplément au Voyage de Bougainville** dans la *Correspondance littéraire*. Rédaction du *Paradoxe sur le comédien*.
1773	Voyage en Russie.
1784	Mort le 31 juillet à Paris.

L'œuvre dans son contexte

Du despotisme éclairé à la Révolution française

Alors que la fin du règne de Louis XIV est placée sous le signe de l'austérité, la Régence de **Philippe d'Orléans** (1715-1723) coïncide avec une période de **croissance** économique: une impression de **liberté** domine, les persécutions religieuses contre les protestants s'atténuent et les arts s'épanouissent.

Le règne de **Louis XV** (1723-1774) est marqué par un gouvernement tourné vers le bonheur de ses sujets. Les philosophes des Lumières diffusent des idées favorables à un régime libéral et parlementaire et à une forme de monarchie absolue plus philosophique. Des **progrès** fleurissent dans tous les domaines: sciences, médecine, instruction, commerce. Le siècle est prospère mais les **richesses** sont **mal réparties** et la France reste soumise à un modèle féodal arriéré. La noblesse et le clergé jouissent encore de **privilèges contestés**. Les tentatives pour réformer l'État et rendre l'impôt plus équitable échouent.

À son arrivée au pouvoir, en 1774, **Louis XVI** est confronté à un **mécontentement** généralisé: les nobles veulent participer au pouvoir et les bourgeois souhaitent voir leur statut social revalorisé. En 1775, une crise agricole amène les nobles à prélever des impôts plus importants. De vives protestations s'élèvent et l'État se révèle incapable d'apaiser les tensions. En 1789, le roi convoque les états généraux mais il est trop tard: en juillet, la prise de la Bastille marque le début de la **Révolution française** qui entraîne la **chute de la monarchie**.

L'apogée et le déclin des Lumières

La libéralisation des arts et le développement de l'instruction favorisent la propagation des idées des **Lumières**. Les philosophes **dénoncent** les travers de la société française par le biais de la satire et de l'ironie comme Montesquieu dans les *Lettres persanes* (1721). Ils luttent contre les **injustices** (*Traité sur la tolérance*, Voltaire, 1763), les **abus de pouvoir** (*Zadig*, Voltaire, 1748) et les **excès de la religion** (*La Religieuse*, Diderot, 1760). Rousseau met en cause le fondement naturel **des inégalités sociales** dans le *Discours sur l'origine et les fondements de l'inégalité parmi les hommes* (1755) avant de définir un modèle démocratique dans *Du contrat social* (1762). Le règne de la raison connaît son apogée avec la publication de l'***Encyclopédie*** qui s'étend de 1750 à 1772. Dirigée par Diderot et d'Alembert, elle récapitule et classe l'ensemble des **connaissances** de l'époque et vise à provoquer une **réflexion critique** chez le lecteur. Dans la seconde moitié du siècle, l'**optimisme** des Lumières et sa **foi en l'homme déclinent** pour laisser place au retour du sentiment (*La Nouvelle Héloïse*, Rousseau, 1761) et au renouveau spiritualiste (*Paul et Virginie*, Bernardin de Saint-Pierre, 1788).

Fiche 3

La structure de l'œuvre

• La structure de l'œuvre est atypique : le texte se présente comme une succession de **textes enchâssés** dans un **récit-cadre**. Le *Supplément au Voyage de Bougainville* débute et se termine par un dialogue entre deux Européens, A et B, qui évoquent le récit de voyage de Bougainville que B est en train de lire. Ce dialogue encadre les extraits du *Supplément* que A et B vont lire ensemble.

• Cette structure complexe rend l'œuvre inclassable. Le *Supplément au Voyage de Bougainville* se rapproche tant du dialogue philosophique, didactique ou polémique que de l'utopie et du conte philosophique.

Chapitre I, p. 11-19	**Dialogue entre A et B**	Le dialogue s'engage par des considérations météorologiques avant d'en venir à Bougainville et à son récit de voyage que B est en train de lire. Dans un échange rythmé par des questions, B résume à A le *Voyage autour du monde* de Bougainville. Ils évoquent rapidement les conditions du voyage et des questions d'actualité (existence de géants patagons, expulsion des jésuites du Paraguay, séjour en France d'Aoutourou, le Tahitien ramené par Bougainville). Puis, ils entament ensemble la lecture du *Supplément au Voyage de Bougainville* que B présente comme preuve que Bougainville ne se laisse pas emporter par la « fable d'Otaïti ».
Chapitre II, p. 25-32	**Discours du vieillard tahitien**	A et B s'effacent alors devant les personnages du *Supplément au Voyage de Bougainville*. Cette section s'ouvre sur le discours prononcé par un vieillard tahitien à Bougainville au moment où il quitte l'île avec son équipage. Dans son discours, le vieillard, qui apparaît comme un sage, met les Tahitiens en garde contre leurs futurs colonisateurs. Il a en effet bien perçu les enjeux économiques qui se cachent derrière ce genre d'expéditions. Il s'adresse ensuite à Bougainville et met en cause le modèle de développement européen, montrant en quoi, loin d'être un modèle à imiter, celui-ci risque de contaminer les Tahitiens. Il dénonce enfin la propension des Européens à multiplier les désirs futiles et artificiels, ce qui leur interdit l'accès au repos et au bonheur.

		À la suite de la lecture de cet extrait, B demande son avis à A sur ce qu'ils viennent de lire, avant de lui proposer de découvrir le début du *Supplément au Voyage de Bougainville*.
Chapitre III, p. 39-54	**Dialogue entre Orou et l'aumônier**	Après avoir lu le discours tenu par le vieillard tahitien, A et B évoquent l'arrivée de Bougainville et de son équipage sur l'île et commencent la lecture d'un dialogue entre l'aumônier de l'expédition et son hôte, Orou. Chaque Européen étant accueilli dans une famille tahitienne, l'aumônier se voit offrir l'hospitalité, ce qui signifie chez les Tahitiens être nourri et logé, mais aussi être invité à jouir d'une des femmes de la maison. Orou propose donc sa femme et ses trois filles à l'aumônier qui, après avoir vainement essayé de résister, finit par succomber à la tentation et cède aux supplications de la plus jeune des filles. Le lendemain, la résistance de l'aumônier amène Orou à l'interroger sur sa religion, question centrale de ce chapitre. Le point de vue naïf d'Orou, qui s'étonne et interroge l'aumônier, souligne les incohérences de la religion chrétienne et de la figure divine.
	Intervention de A et B à propos d'une note de l'aumônier	L'interruption du récit, prenant pour prétexte une note de l'aumônier, permet à Diderot d'insérer un nouveau récit enchâssé: l'histoire de Polly Baker. Elle aussi a trait à la question des enfants nés en dehors du cadre légal du mariage mais se situe en Nouvelle-Angleterre.
	Récit par B de l'histoire de Polly Baker et retranscription de son plaidoyer devant ses juges	Cette apparente digression permet d'élargir la réflexion sur la relativité des valeurs morales, particulièrement celles associées à la sexualité. Ce récit établit surtout un parallèle entre les Tahitiens (qui voient toute naissance comme une richesse et qui n'associent donc aucune condamnation morale au fait que des femmes célibataires aient des enfants) et les Européens (qui punissent les filles-mères et les condamnent au déshonneur).

Chapitre IV, p. 61-69	**Dialogue entre Orou et l'aumônier**	Après le récit de Polly Baker, le dialogue entre Orou et l'aumônier reprend. Orou commence ici par exposer les mœurs des Tahitiens : il montre comment les actes et leur valeur morale sont subordonnés à la fécondité. Ainsi, les Tahitiens sont libres d'avoir des relations sexuelles avec la personne de leur choix s'ils sont en état d'avoir des enfants. La sexualité est donc réservée aux personnes pouvant procréer ; ceux qui cherchent à assouvir leurs désirs malgré tout sont considérés comme des libertins. Orou avoue alors que les Tahitiens ont offert leurs femmes aux Européens pour leur prendre ce qu'ils ont de plus précieux à leurs yeux : leur semence. De ce point de vue, le respect porté aux moines des pays civilisés est, pour Orou, incompréhensible et lui semble contre-nature.
Chapitre V, p. 71-83	**Dialogue entre A et B**	Après la lecture de la conclusion de l'aumônier, A et B s'interrogent sur la leçon à tirer de l'examen des mœurs tahitiennes. Ils constatent qu'il est impossible de les transposer en Europe et qu'il faut suivre les lois du pays dans lequel l'on vit en attendant qu'elles évoluent. Cette conclusion limite le modèle tahitien à un idéal qui permet seulement de s'interroger de manière théorique et n'appelle pas à la remise en question des fondements de la civilisation européenne.

Les grands thèmes de l'œuvre

Assouvir ses désirs pour atteindre le bonheur

À travers la peinture des mœurs des Tahitiens, Diderot présente une image du **bonheur**. Dans son discours (chap. II), le vieillard peint le mode de vie des Tahitiens : la notion de **propriété** n'existe pas (« tout est à tous », p. 26), ils travaillent uniquement pour obtenir l'**essentiel** et profitent de la douceur de la vie alors que les Européens se créent des besoins artificiels et accumulent des richesses dont ils ne profitent pas (« Si tu nous persuades de franchir l'étroite limite du besoin, quand finirons-nous de travailler, quand jouirons-nous ? », p. 27).

La réflexion sur la propriété et sa nocivité se prolonge dans la **question de la fidélité**. Lors de l'entretien entre Orou et l'aumônier (chap. III), le Tahitien montre en quoi il est **contre-nature** d'attendre de l'homme de la constance dans ses sentiments quand la **nature** entière est placée sous le signe du **mouvement** (« rien en effet te paraît-il plus insensé qu'un précepte qui proscrit le changement qui est en nous [...] ; qu'un serment d'immutabilité de deux êtres de chair, à la face d'un ciel qui n'est pas un instant le même », p. 43-44). Orou prolonge ainsi les propos du vieillard qui craint que le bonheur des Tahitiens ne soit compromis par la seule venue des Européens, qui ont fait naître des sentiments de possessivité et donc de jalousie chez les femmes dont ils avaient joui (« tu es venu allumer en elles des fureurs inconnues », p. 26). La notion de propriété apparaît comme le point sur lequel se fonde la **perversion d'un idéal naturel**. En effet, elle impose en amour la fidélité et empêche les hommes d'assouvir leurs désirs ; c'est pourquoi ils sont plongés dans la **souffrance** et contraints d'adopter des **comportements artificiels** (p. 46).

La morale : une convention ?

Le thème central du *Supplément au Voyage de Bougainville* est la question de la **valeur morale** à attacher à certains **comportements**. En décrivant des mœurs radicalement opposées à celles de l'Europe, Diderot remet en cause les présupposés moraux des nations dites « civilisées ». Par un renversement de perspective, au lieu de démontrer la supériorité de leurs valeurs, les **Européens** sont mis à mal et incapables de justifier leurs traditions et leur religion, qui apparaissent comme ne reposant que sur des **conventions injustifiées** et **contre-nature**. Ainsi, quand Orou demande à l'aumônier de lui expliquer pourquoi le fait de se voir encouragé à assouvir son désir sexuel avec sa fille a provoqué chez lui autant de souffrance, l'aumônier, loin de dominer l'échange, peine à se justifier.

La surprise d'Orou, lorsqu'il comprend les différentes lois qui régissent les comportements humains dans les nations civilisées, met l'accent sur le fait que ces lois s'opposent à la nature profonde de l'homme et ne peuvent ainsi que le faire souffrir ou l'encourager à les transgresser. Il montre en quoi les **trois codes** auxquels sont asservis les hommes civilisés (codes de la nature, civil et religieux) sont la **source de leur malheur** car ils sont incompatibles («où en serais-tu réduit, si tes trois maîtres, peu d'accord entre eux, s'avisaient de te permettre, de t'enjoindre et de te défendre la même chose, comme je pense qu'il arrive souvent?», p. 44).

Les conventions qui donnent une valeur morale aux actes sont donc remises en cause et le *Supplément au Voyage de Bougainville* invite à en établir la **relativité**: les actions ne sont pas condamnables en soi, c'est la civilisation dans laquelle elles sont pratiquées qui leur assigne leurs valeurs. Néanmoins, l'œuvre se clôt sur une vision conservatrice défendue par B: même si les lois sont contestables, il convient de les respecter et de se conformer aux usages de la société dans laquelle l'on vit («prendre le froc du pays où l'on va, et garder celui du pays où l'on est», p. 82).

La satire du clergé et de la religion

Le *Supplément* est aussi le lieu de la **dénonciation de la religion** et du **clergé**. Le regard naïf d'Orou permet à Diderot de souligner les **contradictions de la figure divine** telle qu'elle est définie chez les chrétiens. Il désigne Dieu par une périphrase qui récapitule les différentes qualités qui lui sont associées et souligne ainsi leur incompatibilité (p. 43).

De même, Diderot propose une véritable **satire du clergé à travers le personnage de l'aumônier.** En effet, ce dernier est présenté comme risible de par la situation dans laquelle il est placé (être soumis à la plus grande des tentations pour qui a fait vœu de chasteté), de par la gestuelle qui lui est prêtée («il s'agitait, il se tourmentait; il détournait ses regards des aimables suppliantes, il les ramenait sur elles», p. 41) et de par ses exclamations qui créent un comique de répétition («Mais ma religion! mais mon état!», p. 40). Diderot donne au lecteur les moyens de critiquer la religion chrétienne: elle multiplie des **interdits** qui s'opposent à la nature humaine et elle est fondée sur des **incohérences** (l'inceste est prohibé mais est inévitable dans le cas d'Adam et Ève). Diderot soulève donc des questions profondes et dénonce le fait que, selon lui, la religion impose des comportements nuisibles à la société et frustrants pour l'être humain.

Fiche 5

Une réflexion sur l'Homme

L'égalité entre les hommes

Le *Supplément au Voyage de Bougainville* se présente comme un **hymne à la liberté** et une **dénonciation de toute forme de domination** illégitime. Dans son discours, le vieillard tahitien établit l'**égalité entre** les différents **peuples** («Celui dont tu veux t'emparer comme de la brute, l'Otaïtien est ton frère; vous êtes deux enfants de la nature; quel droit as-tu sur lui qu'il n'ait pas sur toi?», p. 26-27). Il démontre que le fait de vouloir prendre possession de terres est illégitime et injuste et souligne la violence qui accompagne cette appropriation. Cette volonté de dénoncer la **prétention des Européens à se considérer comme supérieurs** met à mal les présupposés sur lesquels les colonisateurs se fondent pour justifier leur entreprise. Si le sauvage est un homme au même titre que l'homme civilisé, s'il est une créature de Dieu, rien ne justifie de l'asservir et de le mettre en esclavage.

Diderot choisit d'exposer ce point de vue à travers le **discours du vieillard** pour **donner symboliquement la parole à l'oppressé**. Ce faisant, il lui accorde, de fait, le statut d'homme, capable de raisonner et de plaider sa cause. Par là même, il discrédite l'idée que les sauvages sont des hommes inférieurs. De plus, ce discours, par son emploi des registres polémique et pathétique, interpelle le lecteur et lui impose de s'interroger sur la notion de civilisation et sur les idées reçues qui l'accompagnent.

Cette remise en cause de la supériorité des Européens s'inscrit en prolongement des combats menés par les philosophes des **Lumières contre les injustices et les inégalités**, en particulier la dénonciation de l'esclavage. Le *Supplément au Voyage de Bougainville* fait ainsi, par exemple, écho à l'article «Traite des nègres» du Chevalier de Jaucourt extrait de l'*Encyclopédie*, qui démontre l'illégitimité et même l'inégalité de cette pratique.

La relativité des valeurs

Parce que les hommes sont regardés comme égaux, se pose la question de l'existence de valeurs absolues. Diderot, par la **confrontation de deux mondes aux valeurs opposées**, s'interroge sur la signification des actions en soi et conclut que les pratiques ne peuvent être jugées qu'au regard de la culture dans laquelle elles ont lieu. Ainsi, l'acte sexuel librement consenti entre deux personnes nubiles est un acte positif chez les Tahitiens, puisqu'il permet de multiplier les naissances, la plus grande des richesses selon eux. Au contraire, en Europe, en dehors du cadre du mariage, il s'agit d'un acte répréhensible qui met à mal les valeurs de la société civilisée: la famille et la propriété.

De même, l'œuvre dans son entier établit la **relativité des valeurs**. Les

mœurs des Tahitiens sont présentées comme étant en adéquation
avec la nature profonde de l'homme
et donc comme favorisant l'accès au
bonheur. A et B concluent cependant
par l'impossibilité pour l'Europe de
revenir à cet état antérieur. B termine
même en insistant sur la nécessité de
se plier aux usages de la société qui
est la sienne.

La défense de la relativité s'inscrit dans une **forme** qui lui correspond particulièrement bien: celle
du **dialogue philosophique**. En effet,
en confrontant l'aumônier et Orou,
Diderot montre que leurs valeurs
sont contradictoires mais aussi
qu'elles se justifient et font partie
d'un ensemble cohérent. Ainsi, parce
que l'homme vit en société, il se doit
de se conformer à ses usages. C'est
la société qui dicte la valeur à assi-
gner aux actes: «on a attaché la
honte, le châtiment et l'ignominie
à des actions innocentes en elles-
mêmes, mais ne les commettons pas,
parce que la honte, l'ignominie sont
les plus grands de tous les maux»
(p. 82). Le choix du **dialogue philosophique polémique** lors des échanges
entre le Tahitien et l'Européen représente donc l'**impossible conciliation**
entre les deux modèles. Cependant,
un équilibre s'établit au niveau de
l'œuvre: le bon sens des Tahitiens
s'impose dans les échanges, mais la
portée de leur discours est modé-
rée par le fait que leurs propos sont
encadrés par un dialogue entre deux
Européens.

Éloge de la nature humaine

Une fois que les différences des
pratiques humaines sont établies
comme étant associées à un lieu
et à une culture, la **question de la
nature humaine** se pose de manière
plus aiguë. Diderot donne à voir au
lecteur un homme qui, quelle que
soit la société dans laquelle il vit,
est dominé par son **corps** et ses
pulsions. Vouloir nier l'existence de
la dimension corporelle de l'homme
revient à le condamner à la **frus-
tration**, mal dont souffre l'**homme
civilisé, perpétuellement divisé par
des lois qui lui imposent un comportement qui va à l'encontre de
ce que lui dicte la nature**. L'exemple
le plus évident de cette souffrance
est illustré par l'aumônier qui tente
de repousser les avances des filles
d'Orou: sa nature humaine l'encou-
rage à céder tandis que son état de
religieux le lui interdit. Par cet exemple, Diderot semble démontrer qu'il
est **vain de vouloir contrecarrer
les désirs naturels**. Néanmoins, il
maintient la nécessité des lois et de
leur respect quand elles sont
contestables et illusoires.

Même si le bonheur reste un
objectif difficile à atteindre dans les
nations civilisées, A et B pensent
qu'**une évolution positive, placée
sous le signe du progrès, est possible**. En effet, les nations civilisées
savent se réformer et la vie y reste
plaisante, comme le sous-entend la
reprise de la conversation mondaine
entre A et B, qui se demandent comment ils occuperont agréablement
leur «après-dîner».

Fiche 6

Une œuvre inclassable?

Le *Supplément au Voyage de Bougainville* est une œuvre riche et complexe. De par sa **diversité**, il est difficile de la réduire à un genre unique. Le choix d'une structure où les textes sont enchâssés, qui suppose la présence d'un **récit-cadre** et d'un **récit dans le récit**, fait se superposer deux genres: le **dialogue philosophique** et un **récit** qui, lui-même, se rapproche de plusieurs genres (conte philosophique, dialogue philosophique, utopie) sans en embrasser aucun.

Un dialogue philosophique?

Le dialogue philosophique est le genre privilégié par Diderot car il lui permet d'**établir son point de vue en confrontant des idées contraires**. Comme il l'avoue dans son *Discours sur la poésie dramatique*, il ne conçoit la réflexion que sous la forme d'un débat: «Vous savez que je suis habité de longue main à l'art du soliloque. Si je quitte la société et que je rentre chez moi triste et chagrin, je me retire dans mon cabinet, et là je me questionne et je me demande: Qu'avez-vous? de l'humeur?... Oui... Est-ce que vous vous portez mal?... Non... Je me presse, j'arrache de moi la vérité.»

Le *Supplément au Voyage de Bougainville* s'ouvre et se clôt sur un dialogue entre deux Européens, A et B, qui échangent des propos tantôt légers, mondains et divertissants (considérations météorologiques, portrait de Bougainville, propos sur la duplicité féminine), tantôt philosophiques (opposition entre nature et culture, existence des trois codes, attitude à adopter face aux lois). La forme du dialogue présente l'avantage de restituer la **spontanéité** de la conversation mondaine, très prisée au XVIIIe siècle, et de permettre les **digressions**, comme l'histoire de Polly Baker (Chapitre III).

Tous les types de dialogues...

A et B partagent la **même culture**. Cependant, Diderot choisit de donner à leurs échanges une forme proche d'un **dialogue didactique**, dialogue entre un maître et son élève. C'est à B que revient le rôle du maître, notamment parce qu'il a lu le récit de voyage de Bougainville et le *Supplément* dont ils vont lire des extraits et qui constitueront les chapitres II, III et IV. De son côté, A intervient pour demander des précisions et des explications. Il arrive cependant que l'échange soit plus équilibré, notamment dans le dernier chapitre, où le **dialogue** se fait **dialectique**, en ce qu'il se clôt sur la défense d'une solution commune: l'adoption des conventions du pays dans lequel on vit.

Le dialogue se retrouve également dans les échanges entre l'aumônier de l'équipage et son hôte Orou. La différence majeure est que la discussion met en présence deux **personnages d'une civilisation différente**, un Européen et un Tahitien. Leurs valeurs et leurs regards sont donc totalement opposés. Ici, Diderot refuse d'utiliser la forme didactique qui aurait induit une leçon de «civilisation» donnée à un «bon sauvage». Au contraire, le **dialogue** se fait **polémique**: chacun expose et défend les valeurs sur lesquelles repose sa civilisation. Ainsi, les propos d'Orou présentent l'organisation de la société tahitienne en même temps qu'ils mettent en cause le modèle de civilisation que les Européens veulent leur imposer.

Dans l'ensemble, c'est le bon sens d'Orou qui lui fait dominer les échanges et mettre au jour les incohérences des nations civilisées. Ainsi, il souligne les contradictions de la religion de l'aumônier, la perversion des hommes qu'occasionne l'existence des trois codes (de la nature, civil et religieux) et surtout il révèle l'impossibilité pour les hommes civilisés d'atteindre le bonheur puisqu'ils sont régis par des lois qui le leur interdisent. La domination du point de vue d'Orou est confirmée par le comportement de l'aumônier, qui finit par se conformer aux usages des Tahitiens, en cédant aux avances de toutes les femmes de la maison de son hôte!

Le *Supplément*: entre utopie et conte philosophique?

Si le dialogue domine, l'ensemble des trois chapitres centraux se rapproche également d'autres genres, en particulier de ceux de l'utopie et du conte philosophique.

La tentation est grande de classer le *Supplément au Voyage de Bougainville* au rang des **utopies** en ce qu'il décrit une **société idéale** et par là même met en cause la société de l'auteur. Cependant, contrairement aux utopies, le *Supplément au Voyage de Bougainville* n'offre aucun récit de la quête de ce monde et ne s'arrête pas à sa peinture. La conclusion du texte de Diderot tend à mettre à distance le modèle tahitien, puisque B soutient qu'il n'est pas applicable dans les sociétés civilisées. De plus, le fait que la représentation du mode de vie des Tahitiens soit encadrée par des dialogues entre deux Européens lui imprime une **signification globale différente** de celle d'une utopie. En effet, l'exemple tahitien sert à proposer une réflexion philosophique sur les valeurs morales, les conventions sociales et la notion de bonheur: il n'apparaît donc pas comme un modèle de conduite.

Par certains de ses aspects, le *Supplément au Voyage de Bougainville* peut aussi ressembler à un **conte philosophique**. Il propose une réflexion philosophique à partir d'un récit court contenant un enseignement. Mais la nature hybride de l'ensemble compromet cette approche de l'œuvre: elle ne propose pas systématiquement la superposition de deux niveaux de lecture et use peu de l'ironie.

Ainsi le *Supplément au Voyage de Bougainville* se rapproche davantage d'un dialogue philosophique mais Diderot joue jusqu'au bout avec le lecteur et semble définitivement refuser d'enfermer son œuvre dans un genre exclusif. Pour ce faire, il clôt son texte par les propos mondains de A et B, il met à mal quasiment toutes les idées examinées et ne présente **aucun personnage** qui soit **exempt de défauts**. Ainsi, A joue le rôle du contradicteur mais ne propose aucune solution; B donne peut-être dans la «fable d'Otaïti» par son manque de nuance mais ne fournit pas de réelle direction pour sortir de la condition d'homme divisé. De même, le vieillard se caractérise par la violence de son propos mais ne va pas jusqu'à inviter son peuple à la violence physique; l'aumônier est présenté comme risible mais sait évoluer et Orou fait preuve de bon sens mais il reste ambigu sur la question de la «propriété» de ses femmes. Enfin, les Tahitiens, présentés comme simples et proches de la nature, apparaissent comme crédules et naïfs dans le discours du vieillard. Même le personnage de Polly Baker peut être critiqué: elle tient un discours convaincant mais d'une éloquence incompatible avec sa condition et apparaît clairement comme une mystification.

Des registres divers

Pour divertir et éviter la monotonie, Diderot n'hésite pas à avoir recours à de **nombreux registres**. Ainsi, dans le discours éloquent du vieillard, il emploie le **registre polémique**. Il met ainsi en cause les Européens, souligne leur barbarie et le modèle qu'ils imposent, de manière illégitime, au reste du monde. Pour ce faire, il multiplie les procédés oratoires (répétitions, anaphores, questions oratoires, apostrophes, phrases injonctives,

hyperboles...) qui confèrent une réelle **violence** à son discours. Le vieillard ne néglige pas non plus le **registre pathétique** quand il s'agit de peindre les souffrances, passées et à venir, endurées par son peuple (p. 28).

Dans son texte, Diderot fait alterner émotion, réflexion et rire. Le **registre comique** est présent et associé au **personnage de l'aumônier** qui permet de mettre en scène un **comique de situation, de geste, de répétition et de caractère**. En effet, l'aumônier est confronté à la situation la plus inconfortable qui soit pour un membre du clergé puisqu'il doit lutter contre la tentation du péché de chair. Il se retrouve face à une belle jeune fille nue qui se désespère de son refus mais qui finit par avoir gain de cause. La situation inconfortable de l'ecclésiastique est traduite par son comportement risible («il s'agitait, il se tourmentait; il détournait ses regards des aimables suppliantes, il les ramenait sur elles; il levait ses yeux et ses mains au ciel», p. 41). Il ne sait quoi répondre à son hôte et se contente de répéter: «Mais ma religion! mais mon état!». **Par sa répétition, cette exclamation devient comique** parce qu'il la proférera à chaque fois qu'il cédera aux charmes d'une des femmes de la maison et ce à plusieurs reprises au cours de la nuit! Ainsi, **le personnage finit par apparaître comme comique en soi**: il avait pour rôle de transmettre la religion chrétienne aux Tahitiens et finalement, c'est lui qui adopte leurs mœurs et se révèle incapable de défendre son Dieu et les règles qu'impose sa religion.

Le **registre ironique**, cher aux philosophes des Lumières, est également présent mais de manière plus discrète. C'est peut-être dans l'usage de l'**excès** que l'on peut trouver une marque d'ironie. Il paraît en effet excessif et exagéré de défendre le fait que les belles tahitiennes sont moins prisées par les hommes que les laides qui leur font de beaux enfants, ou qu'une femme a moins de difficultés à se marier mère de trois enfants et enceinte qu'une femme sans enfant...

L'argumentation sous toutes ses formes

Le choix de Diderot de faire coexister des genres et des registres différents reflète sa volonté d'avoir recours à toutes les formes d'argumentation possibles. Ainsi, il emploie des formes d'**argumentation directe**, dans le discours du vieillard, par exemple, où le point de vue du personnage est sans ambiguïté. Il utilise également des formes d'**argumentation indirecte** dans les chapitres où la peinture idéalisée des mœurs tahitiennes met implicitement en cause celles des nations civilisées.

De la même manière, Diderot n'exclut aucun moyen pour **convaincre et persuader** le lecteur. La **raison** domine en effet les échanges entre A et B qui s'interrogent sur des questions morales (Existe-t-il des valeurs bonnes ou mauvaises en soi?), éthiques (Peut-on valoriser un modèle de développement au détriment d'un autre et de quel droit?) et sociales (Comment organiser la société pour qu'elle permette au plus grand nombre d'accéder au bonheur?). Mais Diderot ne néglige pas non plus d'**émouvoir** son lecteur par des discours où les registres polémique et pathétique dominent, comme dans le réquisitoire du vieillard qui décrit de manière prophétique les calamités que devront endurer les Tahitiens quand les Européens reviendront les déposséder.

Fiche 7

Les Lumières

Savoir et réflexion : les armes de la dénonciation

Le **mouvement littéraire et culturel des Lumières est associé au XVIIIe siècle**, même si les siècles précédents contenaient déjà en germe un certain nombre des idées que les philosophes des Lumières développeront. Ainsi, des humanistes du XVIe siècle, comme Montaigne et Thomas More, ou des libertins du XVIIe siècle, tels que Naudé, Bayle ou Fontenelle luttaient déjà au moyen de la raison et faisaient preuve d'un esprit contestataire.

« Les autres hommes sont emportés par leurs passions, sans que les actions qu'ils font soient précédées de la réflexion : ce sont des hommes qui marchent dans les ténèbres ; au lieu que le philosophe, dans ses passions mêmes, n'agit qu'après la réflexion ; il marche la nuit mais il est précédé d'un flambeau. » (Dumarsais, article « Philosophe », *Encyclopédie*, 1772). L'esprit des Lumières se définit donc par la volonté d'avoir recours à la **raison, véritable « flambeau », pour écarter l'obscurantisme, l'ignorance et les superstitions**, responsables de l'intolérance, de l'injustice et des inégalités. Montesquieu, dans les *Lettres persanes* (1721), adopte le point de vue naïf de deux persans pour dénoncer les travers de la société de son temps. Voltaire, dans *Candide* (1759) comme dans le *Traité sur la tolérance* (1763) ou dans son *Dictionnaire philosophique* (1764), se

consacre à lutter contre le fanatisme et les injustices qu'il entraîne. Cette volonté de dénoncer les inégalités et de faire partager les connaissances favorise l'émergence d'idées qui mèneront à la **Révolution française** en 1789.

L'*Encyclopédie* : la plus vaste entreprise éditoriale du XVIIIe siècle

L'*Encyclopédie*, dirigée par Diderot et d'Alembert, est particulièrement représentative de l'esprit qui anime les philosophes des Lumières. En effet, alors que cette œuvre ne devait être qu'une traduction française de la *Cyclopedia* de l'Anglais Chambers, Diderot et d'Alembert, qui en prennent la direction en 1747, décident d'y recenser la **somme des connaissances théoriques et techniques de leur époque** pour permettre à l'ensemble de la population de **s'instruire et de développer une réflexion critique**.

Dans de nombreux articles, les auteurs relèguent la définition à un simple prétexte pour développer et défendre leur **point de vue sur des questions controversées** touchant aux domaines religieux et politiques en particulier. Cet aspect engagé de l'*Encyclopédie* lui vaut de voir son privilège royal, qui autorise la publication, supprimé en 1757 et d'être **condamnée** dans son entier par le pape Clément XIII en 1759. Néanmoins, grâce à la ténacité de

Diderot et de ses collaborateurs, le dernier volume paraît en 1772.

Le *Supplément* : entre raison et idéal

Proche du dialogue philosophique et de l'utopie, le *Supplément au Voyage de Bougainville* propose une **réflexion critique sur le modèle de civilisation développé par les Européens**.

La **religion est ainsi mise en cause**, dans un registre comique, à travers le personnage de l'aumônier. De manière plus sérieuse, Orou expose en quoi, selon lui, la religion chrétienne est incohérente et absurde : la figure divine est présentée comme un ensemble de traits contradictoires, la Bible comme une suite de fables dont certains épisodes mettent à mal les commandements qu'elle énonce par ailleurs et le clergé comme une instance qui impose des lois contre-nature et douloureuses à l'homme (chasteté).

En tant que philosophe des Lumières, Diderot s'attache avant tout à dénoncer les inégalités présentes dans les nations civilisées. C'est pourquoi il choisit de donner une image idéalisée de Tahiti en présentant l'île comme une société où les **inégalités** n'existent pas. Selon lui, les **injustices** y sont rares parce que les lois sont peu nombreuses et n'entraînent pas de châtiment quand elles sont transgressées. Diderot critique également le **colonialisme** à travers le discours du vieillard qui exprime la parfaite illégitimité de l'appropriation de leurs terres par les Français.

Toutefois, le choix de présenter une **société primitive** vivant dans un **bonheur simple** et proposant des valeurs différentes de celles du monde civilisé semble s'opposer à l'esprit des Lumières. En effet, les philosophes des Lumières croient au progrès et à la nécessité de sortir de l'ignorance. **Il ne s'agit donc pas de faire l'éloge d'un état de nature où l'homme vivrait ignorant mais heureux**.

Cet **apparent paradoxe** s'efface dans le dernier chapitre du *Supplément au Voyage de Bougainville* qui montre comment la société tahitienne n'est qu'**un modèle de réflexion à partir duquel s'interroger sur les valeurs des nations civilisées et en souligner la relativité**. Diderot n'engage pas à faire machine arrière ni à retourner à un état antérieur : la question de A (« Reviendrons-nous à la nature ? », p. 82) reste même sans réponse. B répond cependant à la suivante (« Nous soumettrons-nous aux lois ? », p. 82) de manière positive : il affirme la nécessité d'**adopter les conventions des lieux où l'on vit** tout en attendant qu'elles soient réformées.

Enfin, le *Supplément au Voyage de Bougainville* s'apparente fondamentalement à l'esprit des Lumières en ce qu'il est avant tout **une invitation à la réflexion critique** et qu'il n'impose pas un point de vue unique comme le souligne le choix d'une structure hybride et de registres variés.

Du *Voyage autour du monde* au *Supplément*

Du compte rendu au dialogue philosophique

En 1766, Bougainville entreprend un **tour du monde** au cours duquel il découvre Tahiti. À son retour en 1769, il ramène à son bord un Tahitien, Aoutourou. Tous deux suscitent la curiosité dans les salons parisiens et redonnent une réalité au **mythe du bon sauvage** qui tendait à s'effacer. En effet, les grandes découvertes ayant surtout eu lieu aux XVIe et XVIIe siècles, les «sauvages», exterminés ou dénaturés, n'existent plus au XVIIIe siècle.

En 1771, le **récit du voyage** de Bougainville, *Voyage autour du monde*, paraît. Le succès est immédiat. Grimm demande alors à Diderot d'en rédiger un **compte rendu** pour la *Correspondance littéraire*, revue clandestine envoyée, sous forme manuscrite, aux souverains et princes éclairés de l'Europe.

Rapidement, Diderot se laisse emporter par le sujet et son compte rendu prend des accents de **dénonciation**. Dès le début de ce texte, il interpelle Bougainville («Ah! Monsieur de Bougainville, éloignez votre vaisseau des rives de ces innocents et fortunés Tahitiens») et n'envisage que le naufrage pour **protéger les Tahitiens des Européens et de leur colonialisme conquérant** («Enfin, vous vous éloignez de Tahiti; vous allez recevoir les adieux de ces bons et simples insulaires; puissiez-vous vous et vos concitoyens et les autres habitants de notre Europe être engloutis au fond des mers plutôt que de les revoir»).

Du projet initial - la présentation de l'œuvre du navigateur - il ne reste que les quelques paroles échangées par A et B pour évoquer Bougainville et son voyage. La structure du texte de Diderot se complexifie donc en donnant pour cadre le dialogue entre deux Européens, qui, par une **mise en abyme**, lisent le *Supplément au Voyage de Bougainville* où la critique des Européens et de leur colonialisme se fera au travers de personnages tahitiens qui raisonnent et s'expriment comme des philosophes des Lumières.

La relativité des valeurs

Diderot choisit d'insérer le *Supplément* dans un ouvrage composé de deux autres contes. Ce **triptyque examine les échanges amoureux et la valeur morale** à leur accorder. Il prolonge ainsi sa réflexion grâce au modèle tahitien qui prend le contrepied des valeurs européennes et permet ainsi de mieux les mettre en perspective.

Le premier conte, *Ceci n'est pas un conte*, donne à voir deux couples, où l'un des deux amants sacrifie tout pour le bonheur de l'autre. Le deuxième conte, *Madame de La Carlière*, montre comment une femme, par sa volonté de faire atteindre à son amour un idéal, refuse de pardonner une légère incartade à son mari et finit par mourir de chagrin.

La morale est ici mise en cause et interrogée: selon Diderot, **la morale est une convention n'ayant d'autre fondement que celui d'une culture et doit, de ce fait, être relativisée**. C'est à cette relativité qu'invite le philosophe dans le *Supplément au Voyage de Bougainville* en représentant des Tahitiens vivant heureux et libres d'assouvir leurs désirs sans pudeur ni honte. Cette idée figure déjà très distinctement dans les dernières lignes de *Madame de La Carlière*, qui apparaissent comme une introduction au texte suivant, le *Supplément au Voyage de Bougainville*: «j'ai mes idées, peut-être justes, à coup sûr bizarres, sur certaines actions que je regarde moins comme des vices de l'homme que comme des conséquences de nos législations absurdes, sources de mœurs aussi absurdes qu'elles et d'une dépravation que j'appellerais volontiers artificielle. Cela n'est pas trop clair, mais cela s'éclaircira peut-être une autre fois».

Une réflexion plaisante plus qu'un témoignage

La volonté de Diderot d'inscrire le *Supplément au Voyage de Bougainville* dans une réflexion sur les mœurs et les conventions dans le domaine amoureux l'amène d'ailleurs à **s'éloigner de la véracité** des usages des Tahitiens et à en proposer une **image idéalisée**. En effet, il omet d'évoquer les inégalités existant entre les Tahitiens, ainsi que leur pratique du sacrifice humain, alors que Bougainville en fait état dans son récit de voyage: «La distinction des rangs est fort marquée à Tahiti, et la disproportion cruelle. Les rois et les grands ont droit de vie et de mort sur leurs esclaves et valets; je serais même tenté de croire qu'ils ont aussi ce droit barbare sur les gens du peuple qu'ils nomment "hommes vils"; toujours est-il sûr que c'est dans cette classe infortunée qu'on prend les victimes pour les sacrifices humains.»

Diderot a évidemment lu le *Voyage autour du monde*. Il ne peut donc pas ignorer cet aspect de la société tahitienne et c'est délibérément qu'il choisit de ne pas le mentionner. Ce choix est révélateur de son projet: proposer une société idéale pour interroger les usages en cours dans le monde civilisé.

Le *Supplément au Voyage de Bougainville* apparaît également comme une **œuvre placée sous le signe du plaisir et du jeu**. Dans une lettre à Grimm datée du 2 octobre 1772, Diderot insiste sur cet aspect de son œuvre: «Si je savais où vous prendre dans le courant de la journée, vous auriez la lecture de ce troisième morceau [le *Supplément*] qui vous ferait plaisir, parce qu'il m'en fait».

Diderot clôt son texte sur cette dimension ludique: A et B reprennent le cours de leur **conversation mondaine**, conversation qui semble indiquer au lecteur que les propos échangés précédemment n'étaient qu'un jeu de l'esprit, un moyen plaisant de passer le temps même si la teneur philosophique de leurs échanges est évidente.

Fiche 9

Citations

Supplément au Voyage de Bougainville

« Le *Voyage* de Bougainville est le seul qui m'ait donné du goût pour une autre contrée que la mienne. »

Chapitre I.

« L'Otaïtien touche à l'origine du monde et l'Européen touche à sa vieillesse. »

Chapitre I.

« Nous sommes innocents, nous sommes heureux, et tu ne peux que nuire à notre bonheur. »

Chapitre II.

« Nous ne voulons point troquer ce que tu appelles notre ignorance contre tes inutiles lumières. »

Chapitre II.

« Je ne sais ce que c'est que tu appelles religion, mais je ne puis qu'en penser mal, puisqu'elle t'empêche de goûter un plaisir innocent auquel nature, la souveraine maîtresse, nous invite tous. »

Chapitre III.

« Ô le vilain pays ! si tout y est ordonné comme ce que tu m'en dis, vous êtes plus barbares que nous. »

Chapitre IV.

« Mais enfin dites-moi, faut-il civiliser l'homme ou l'abandonner à son instinct ? »

Chapitre V.

« Nous parlerons contre les lois insensées jusqu'à ce qu'on les réforme et en attendant nous nous y soumettrons. »

Chapitre V.

« Il y a moins d'inconvénient à être fou avec des fous qu'à être sage tout seul. »

Chapitre V.

« Prendre le froc du pays où l'on va, et garder celui du pays où l'on est. »

Chapitre V

À propos du *Supplément au Voyage de Bougainville*

« Vous voulez donc mon avis sur le *Supplément au Voyage de Bougainville* ? Eh bien, c'est du Diderot tout pur. C'était bien le bonhomme le plus immoral en propos, le raisonneur le plus débridé, [...] que Dieu ait créé, quand il voulut donner un ridicule à la philosophie humaine. »

Abbé Bourlet de Vauxcelles, *Opuscules philosophiques et littéraires, la plupart posthumes ou inédites*, 1796 (http://gallica.bnf.fr/ark:/12148/bpt6k101933d.r).

« L'oscillation apparente de Diderot est le fait d'une pensée questionneuse et investigatrice : elle n'est pas synonyme de confusion et de désordre. Sa nature est d'aller à l'unité par la multiplicité, d'éclairer tous les aspects, d'explorer toutes les routes. »

Roland Mortier, « Diderot et le problème de l'expressivité : de la pensée au dialogue heuristique » (1960), dans *Le Cœur et la Raison*, Voltaire Foundation, 1990.

« La thèse de la bonté des élans naturels n'est jamais soutenue aussi démonstrativement chez Diderot ; aussi ingénument est-on tenté de dire, même s'il est clair [...] qu'il ne s'agit pas de renoncer aux conquêtes de la société pour retourner à un état de nature ou théorique ou fragile. »

Laurent Versini, Introduction aux contes de 1770, *Œuvres*, Robert Laffont, 1994.

« Plutôt que l'équilibre raisonnable de la fin − soumettons-nous aux lois des pays civilisés en attendant qu'elles soient réformées par les Lumières [...] −, c'est l'étonnante jubilation naturiste des discours d'Orou que les lecteurs de tous les temps retiendront. »

Laurent Versini, Introduction aux contes de 1770, *Œuvres*, Robert Laffont, 1994.

« Il n'y a pas de dialogue entre la nature et la culture, mais une mise en scène par la culture de ses propres contradictions. »

Michel Delon, Préface du *Supplément au Voyage de Bougainville*, Gallimard, 2002.

L'utopie au XVIIIe siècle

Montesquieu, *Lettres persanes*

Montesquieu (1689-1755) publie les *Lettres persanes* en 1721. Ce roman épistolaire met en scène deux Persans qui séjournent en France et décrivent la vie parisienne à travers leur point de vue prétendument naïf. Cette feinte naïveté permet à Montesquieu de s'étonner et donc de mettre en cause les travers de la société de son temps. Dans la lettre XII, Usbek peint une société idéale, celle des Troglodytes, qui après avoir été victimes de leur méchanceté rebâtissent leur nation sur des valeurs positives: l'humanité, la justice et la vertu.

Qui pourrait représenter ici le bonheur de ces Troglodytes? Un peuple si juste devait être chéri des dieux. Dès qu'il ouvrit les yeux pour les connaître, il apprit à les craindre, et la religion vint adoucir dans les mœurs ce que la nature y avait laissé de trop rude.

Ils instituèrent des fêtes en l'honneur des dieux: les jeunes filles, ornées de fleurs, et les jeunes garçons les célébraient par leurs danses, et par les accords d'une musique champêtre. On faisait ensuite des festins où la joie ne régnait pas moins que la frugalité. C'était dans ces assemblées que parlait la nature naïve;

c'est là qu'on apprenait à donner le cœur et à le recevoir; c'est là que la pudeur virginale faisait en rougissant un aveu surpris, mais bientôt confirmé par le consentement des pères; et c'est là que les tendres mères se plaisaient à prévoir de loin une union douce et fidèle. [...]

Le soir, lorsque les troupeaux quittaient les prairies, et que les bœufs fatigués avaient ramené la charrue, ils s'assemblaient, et, dans un repas frugal, ils chantaient les injustices des premiers Troglodytes et leurs malheurs, la vertu renaissante avec un nouveau peuple, et sa félicité. Ils célébraient les grandeurs des dieux, leurs faveurs toujours présentes aux hommes qui les implorent, et leur colère inévitable à ceux qui ne les craignent pas; ils décrivaient ensuite les délices de la vie champêtre et le bonheur d'une condition toujours parée de l'innocence. Bientôt ils s'abandonnaient à un sommeil que les soins et les chagrins n'interrompaient jamais.

Montesquieu, *Lettres persanes* [1721], lettre XII,
Belin-Gallimard, «Classico», 2013.

Marivaux, *L'Île des esclaves*

Marivaux (1688-1763) fait représenter *L'Île des esclaves* pour la première fois en 1725. Cette pièce se présente comme une utopie sociale et morale qui aborde la question des relations entre maîtres et valets. En effet, Marivaux fait échouer ses personnages sur une île où vivent des esclaves grecs qui se sont révoltés contre leurs maîtres. Sur cette île, les rôles s'inversent: les maîtres deviennent des valets et les valets des maîtres. Dans la scène suivante, Iphicrate, le maître, et Arlequin, le valet, font la rencontre des insulaires.

ACTE I, scène 2

TRIVELIN *avec cinq ou six insulaires, arrive conduisant une dame et la suivante, et ils accourent à* IPHICRATE *qu'ils voient l'épée à la main.*

TRIVELIN, *faisant saisir et désarmer Iphicrate par ses gens* – Arrêtez, que voulez-vous faire?

IPHICRATE – Punir l'insolence de mon esclave.

TRIVELIN – Votre esclave ? vous vous trompez, et l'on vous apprendra à corriger vos termes. (*Il prend l'épée d'Iphicrate et la donne à Arlequin.*) Prenez cette épée, mon camarade ; elle est à vous.

ARLEQUIN – Que le ciel vous tienne gaillard, brave camarade que vous êtes !

TRIVELIN – Comment vous appelez-vous ?

ARLEQUIN – Est-ce mon nom que vous demandez ?

TRIVELIN – Oui vraiment.

ARLEQUIN – Je n'en ai point, mon camarade.

TRIVELIN – Quoi donc, vous n'en avez pas ?

ARLEQUIN – Non, mon camarade ; je n'ai que des sobriquets[1] qu'il m'a donnés ; il m'appelle quelquefois Arlequin, quelquefois Hé.

TRIVELIN – Hé ! le terme est sans façon ; je reconnais ces messieurs à de pareilles licences. Et lui, comment s'appelle-t-il ?

ARLEQUIN – Oh, diantre ! il s'appelle par un nom, lui ; c'est le seigneur Iphicrate.

TRIVELIN – Eh bien ! changez de nom à présent ; soyez le seigneur Iphicrate à votre tour ; et vous, Iphicrate, appelez-vous Arlequin, ou bien Hé.

ARLEQUIN, *sautant de joie, à son maître* – Oh ! Oh ! que nous allons rire, Seigneur Hé !

TRIVELIN *à Arlequin* – Souvenez-vous en prenant son nom, mon cher ami, qu'on vous le donne bien moins pour réjouir votre vanité, que pour le corriger de son orgueil.

ARLEQUIN – Oui, oui, corrigeons, corrigeons !

IPHICRATE, *regardant Arlequin* – Maraud[2] !

ARLEQUIN – Parlez donc, mon bon ami, voilà encore une licence qui lui prend ; cela est-il du jeu ?

TRIVELIN, *à Arlequin* – Dans ce moment-ci, il peut vous dire tout ce qu'il voudra. (*À Iphicrate.*) Arlequin, votre aventure vous afflige,

---

1. **Sobriquets** : surnoms péjoratifs.
2. **Maraud** : coquin.

et vous êtes outré contre Iphicrate et contre nous. Ne vous gênez point, soulagez-vous par l'emportement le plus vif; traitez-le de misérable et nous aussi, tout vous est permis à présent: mais ce moment-ci passé, n'oubliez pas que vous êtes Arlequin, que voici Iphicrate, et que vous êtes auprès de lui ce qu'il était auprès de vous; ce sont là nos lois, et ma charge dans la République est de les faire observer en ce canton-ci.

ARLEQUIN – Ah! la belle charge!

IPHICRATE – Moi, l'esclave de ce misérable!

TRIVELIN – Il a bien été le vôtre.

Marivaux, *L'Île des esclaves* [1725], acte I, scène 2,
Belin-Gallimard, «Classico», 2010.

Voltaire, *Candide*

Voltaire (1694-1778) publie *Candide* en 1759. Ce conte philosophique raconte le voyage du personnage éponyme qui, une fois chassé du château dans lequel il vivait, est confronté aux différentes manifestations du mal sur terre. Cette leçon de vie l'amène à remettre en question l'enseignement philosophique qu'il a reçu, l'Optimisme, et à perdre progressivement la naïveté qui le caractérisait. Dans ce chapitre, Candide et son serviteur Cacambo arrivent dans un lieu idéal, l'Eldorado. La confrontation du monde réel à ce nouveau monde met ainsi en lumière les imperfections du premier.

Le pays était cultivé pour le plaisir comme pour le besoin; partout l'utile était agréable. Les chemins étaient couverts ou plutôt ornés de voitures d'une forme et d'une matière brillante, portant des hommes et des femmes d'une beauté singulière, traînés rapidement par de gros moutons rouges[1] qui surpassaient en vitesse les plus beaux chevaux d'Andalousie, de Tétuan et de Méquinez[2].

---

1. **Gros moutons rouges** : lamas.
2. **Tétuan et Méquinez** : villes du Maroc.

« Voilà pourtant, dit Candide, un pays qui vaut mieux que la Westphalie[1]. » Il mit pied à terre avec Cacambo auprès du premier village qu'il rencontra. Quelques enfants du village, couverts de brocarts d'or tout déchirés, jouaient au palet à l'entrée du bourg ; nos deux hommes de l'autre monde s'amusèrent à les regarder : leurs palets étaient d'assez larges pièces rondes, jaunes, rouges, vertes, qui jetaient un éclat singulier. Il prit envie aux voyageurs d'en ramasser quelques-uns ; c'était de l'or, c'était des émeraudes, des rubis, dont le moindre aurait été le plus grand ornement du trône du Mongol. « Sans doute, dit Cacambo, ces enfants sont les fils du roi du pays qui jouent au petit palet. » Le magister du village parut dans ce moment pour les faire rentrer à l'école. « Voilà, dit Candide, le précepteur de la famille royale. »

Les petits gueux quittèrent aussitôt le jeu, en laissant à terre leurs palets et tout ce qui avait servi à leurs divertissements. Candide les ramasse, court au précepteur, et les lui présente humblement, lui faisant entendre par signes que Leurs Altesses Royales avaient oublié leur or et leurs pierreries. Le magister du village, en souriant, les jeta par terre, regarda un moment la figure de Candide avec beaucoup de surprise, et continua son chemin.

Les voyageurs ne manquèrent pas de ramasser l'or, les rubis et les émeraudes. « Où sommes-nous ? s'écria Candide ; il faut que les enfants des rois de ce pays soient bien élevés, puisqu'on leur apprend à mépriser l'or et les pierreries. »

Voltaire, *Candide* [1759], Belin-Gallimard, « Classico », 2011.

Jean-Jacques Rousseau, *Julie ou la Nouvelle Héloïse*

Julie ou la Nouvelle Héloïse est un roman épistolaire publié par Jean-Jacques Rousseau (1712-1778) en 1761. Il représente une société idéale dans laquelle évoluent Julie, une jeune aristocrate, et Saint-Preux, son précepteur, qui vivent un amour que leur différence de condition sociale rend impossible. Dans la lettre qui suit, Saint-Preux décrit à milord

---

1. **Westphalie** : province d'Allemagne de laquelle Candide a été chassé.

Edouard les vendanges à Clarens : Rousseau peint ainsi un modèle de vie idéale où le travail devient une fête.

Depuis un mois les chaleurs de l'automne apprêtaient d'heureuses vendanges ; les premières gelées en ont amené l'ouverture ; le pampre grillé[1], laissant la grappe à découvert, étale aux yeux les dons du père Lyée[2], et semble inviter les mortels à s'en emparer. Toutes les vignes chargées de ce fruit bienfaisant que le ciel offre aux infortunés pour leur faire oublier leur misère ; le bruit des tonneaux, des cuves, les légrefass[3] qu'on relie de toutes parts ; le chant des vendangeuses dont ces coteaux retentissent ; la marche continuelle de ceux qui portent la vendange au pressoir ; le rauque son des instruments rustiques qui les anime au travail ; l'aimable et touchant tableau d'une allégresse générale qui semble en ce moment étendu sur la face de la terre ; enfin le voile de brouillard que le soleil élève au matin comme une toile de théâtre pour découvrir à l'œil un si charmant spectacle : tout conspire à lui donner un air de fête ; et cette fête n'en devient que plus belle à la réflexion, quand on songe qu'elle est la seule où les hommes aient su joindre l'agréable à l'utile. [...]

Vous ne sauriez concevoir avec quel zèle, avec quelle gaieté tout cela se fait. On chante, on rit toute la journée, et le travail n'en va que mieux. Tout vit dans la plus grande familiarité ; tout le monde est égal, et personne ne s'oublie. Les dames sont sans airs, les paysannes sont décentes, les hommes badins et non grossiers. C'est à qui trouvera les meilleures chansons, à qui fera les meilleurs contes, à qui dira les meilleurs traits. L'union même engendre les folâtres querelles ; et l'on ne s'agace mutuellement que pour montrer combien on est sûr les uns des autres. On ne revient point ensuite faire chez soi les messieurs ; on passe aux vignes toute la journée : Julie y a fait une loge où l'on va se chauffer quand on a froid, et dans laquelle on se réfugie en cas de pluie. On dîne avec les paysans et à leur heure, aussi bien qu'on travaille avec eux. On mange avec appétit leur soupe un peu grossière, mais bonne, saine, et chargée d'excellents légumes. On ne

---

1. **Pampre grillé** : rameau de vigne portant les feuilles et les grappes de raisin.
2. **Lyée** : Bacchus, dieu du vin.
3. **Légrefass** : sorte de foudre ou de grand tonneau du pays (note de Rousseau).

ricane point orgueilleusement de leur air gauche et de leurs compliments rustauds[1] ; pour les mettre à leur aise, on s'y prête sans affectation. Ces complaisances ne leur échappent pas, ils y sont sensibles ; et voyant qu'on veut bien sortir pour eux de sa place, ils s'en tiennent d'autant plus volontiers dans la leur. À dîner, on amène les enfants et ils passent le reste de la journée à la vigne. Avec quelle joie ces bons villageois les voient arriver ! Ô bienheureux enfants ! disent-ils en les pressant dans leurs bras robustes, que le bon Dieu prolonge vos jours aux dépens des nôtres !

Jean-Jacques Rousseau, Julie ou la Nouvelle Héloïse [1761], 5ᵉ partie,
lettre VII, GF-Flammarion, 1967.

Bernardin de Saint-Pierre, *Paul et Virginie*

Bernardin de Saint-Pierre (1737-1814) écrit *Paul et Virginie* en 1787. Dans ce roman aux allures de pastorale exotique, il peint le mode de vie simple et vertueux de deux jeunes gens, Paul et Virginie, dans le paysage paradisiaque de l'Île Maurice. Il décrit également comment les sentiments purs qui les animent pendant leur enfance se muent à l'adolescence en une passion sincère et chaste. Dans cet extrait, il donne à voir les qualités morales et la sagesse des familles de Paul et Virginie.

Chaque jour était pour ces familles un jour de bonheur et de paix. Ni l'envie ni l'ambition ne les tourmentaient. Elles ne désiraient point au-dehors une vaine réputation que donne l'intrigue, et qu'ôte la calomnie ; il leur suffisait d'être à elles-mêmes leurs témoins et leurs juges. Dans cette île, où, comme dans toutes les colonies européennes, on n'est curieux que d'anecdotes malignes, leurs vertus et même leurs noms étaient ignorés ; seulement quand un passant demandait sur le chemin des Pamplemousses à quelques habitants de la plaine : « Qui est-ce qui demeure là-haut dans ces petites cases ? » ceux-ci répondaient sans les connaître : « Ce sont de bonnes gens. » Ainsi des violettes, sous des buissons épineux, exhalent au loin leurs doux parfums, quoiqu'on ne les voie pas. Elles avaient banni de leurs conversations la médisance,

---

1. Rustauds : qui manquent d'élégance.

qui, sous une apparence de justice, dispose nécessairement le cœur à la haine ou à la fausseté; car il est impossible de ne pas haïr les hommes si on les croit méchants, et de vivre avec les méchants si on ne leur cache sa haine sous de fausses apparences de bienveillance. Ainsi la médisance nous oblige d'être mal avec les autres ou avec nous-mêmes. Mais, sans juger des hommes en particulier, elles ne s'entretenaient que des moyens de faire du bien à tous en général; et quoiqu'elles n'en eussent pas le pouvoir, elles en avaient une volonté perpétuelle qui les remplissait d'une bienveillance toujours prête à s'étendre au-dehors. En vivant donc dans la solitude, loin d'être sauvages, elles étaient devenues plus humaines. Si l'histoire scandaleuse de la société ne fournissait point de matière à leurs conversations, celle de la nature les remplissait de ravissement et de joie. Elles admiraient avec transport le pouvoir d'une providence qui, par leurs mains, avait répandu au milieu de ces arides rochers l'abondance, les grâces, les plaisirs purs, simples, et toujours renaissants.

Bernardin de Saint-Pierre, *Paul et Virginie* [1787],
Gallimard, « Folio classique », 2004.

Regards sur l'autre

Jean de Léry, *Voyage en terre de Brésil*

Jean de Léry (1534-1613) publie, en 1578, le récit de son voyage au Brésil. Il y décrit les Indiens et leur mode de vie. Dans cet extrait, après avoir décrit les pratiques barbares en cours chez les Indiens, Jean de Léry leur oppose les actes cruels commis par les Européens qui se prétendent civilisés et supérieurs, montrant ainsi que la violence n'est pas uniquement le fait des civilisations proches de la nature.

Je pourrais encore donner d'autres exemples semblables de la cruauté des Sauvages envers leurs ennemis, mais il me semble en avoir dit assez pour horrifier chacun et faire dresser les cheveux sur la tête. Néanmoins, que ceux qui liront ces crimes si horribles, perpétrés quotidiennement entre ces peuples barbares de la terre de Brésil, pensent un peu attentivement à ce qui se fait ici chez nous. À ce sujet, je dirai donc tout d'abord que si l'on considère à bon escient ce que font nos gros usuriers[1], qui sucent le sang et la moelle et, de fait, dévorent vivants tant de veuves, orphelins et pauvres gens, auxquels il vaudrait mieux couper la gorge d'un seul coup que de les laisser languir, on les trouvera encore plus cruels que les Sauvages dont je parle. […] Même, si l'on envisage l'action brutale de mâcher et manger réellement, comme on dit, de la chair humaine, ne s'en est-il pas trouvé dans nos régions, parmi ceux mêmes qui portent le titre de Chrétiens, en Italie et ailleurs, qui, non contents de cruellement faire périr leurs ennemis, n'ont pu rassasier leur haine qu'en dévorant leur foie et leur cœur ? Je m'en rapporte aux histoires. Sans chercher plus loin, que dire de la France ? Je suis Français et cela me fâche de le dire mais, durant la sanglante tragédie qui débuta à Paris le 24 août 1572[2], et dont je n'accuse pas ceux qui n'y sont pour rien, entre autres actes atroces à raconter et alors perpétrés dans tout le Royaume, la graisse des corps humains, lesquels de façon plus barbare et cruelle que chez les Sauvages furent massacrés dans Lyon après être retirés de la Saône, ne fut-elle pas publiquement vendue au plus offrant et au dernier enchérisseur[3].

Jean de Léry, *Voyage en terre de Brésil*, adaptation en français moderne par Fanny Marin, « Bibliocollège », Hachette Livre, 2000.

Michel de Montaigne, *Essais*

Montaigne (1533-1592) est le premier à publier un essai en 1595. Il définit les caractéristiques de ce genre : une forme libre où l'auteur partage sa réflexion et son point de vue sur tous les types de sujets. Dans ce chapitre, Montaigne prend comme point de départ une réflexion sur les voyages et les différents modes de transport pour s'interroger sur l'instabilité du monde. Il aborde ainsi le thème du Nouveau Monde et celui

---

1. Usuriers : personnes qui prêtent de l'argent à un taux démesuré.
2. Référence à la Saint-Bathélémy, nuit au cours de laquelle des milliers de protestants furent massacrés.
3. Dernier enchérisseur : personne qui propose la plus forte enchère.

de la grandeur et de la décadence des civilisations. Cependant, il ne décharge pas l'homme du rôle qu'il joue dans l'histoire; c'est pourquoi il met en cause les conquérants.

Notre monde vient d'en trouver un autre (et qui nous répond si c'est le dernier de ses frères, puisque les Démons, les Sibylles[1], et nous, avons ignoré celui-ci jusqu'à cette heure) non moins grand, plein et membru, que lui : toutefois si nouveau et si enfant, qu'on lui apprend encore son a, b, c : Il n'y a pas cinquante ans, qu'il ne savait, ni lettres, ni poids, ni mesure, ni vêtements, ni blés, ni vignes. Il était encore tout nu, au giron[2], et ne vivait que des moyens de sa mère nourrice. Si nous concluons bien de notre fin, et ce Poète[3] de la jeunesse de son siècle, cet autre monde ne fera qu'entrer en lumière quand le nôtre en sortira. L'univers tombera en paralysie[4] : l'un membre sera perclus[5], l'autre en vigueur. Bien crains-je, que nous aurons fort hâté sa déclinaison et sa ruine par notre contagion : et que nous lui aurons bien cher vendu nos opinions et nos arts. C'était un monde enfant : si ne l'avons-nous pas fouetté et soumis à notre discipline, par l'avantage de notre valeur, et forces naturelles : ni ne l'avons pratiqué[6] par notre justice et bonté : ni subjugué par notre magnanimité. La plupart de leurs réponses, et des négociations faites avec eux, témoignent qu'ils ne nous devaient rien en clarté d'esprit naturelle, et en pertinence. L'épouvantable magnificence des villes de Cusco et de Mexico, et entre plusieurs choses pareilles, le jardin de ce roi, où tous les arbres, les fruits, et toutes les herbes, selon l'ordre et grandeur qu'ils ont en un jardin, étaient excellemment formés en or : comme en son cabinet, tous les animaux, qui naissaient en son état et en ses mers : et la beauté de leurs ouvrages, en pierrerie, en plume, en coton, en la peinture, montrent qu'ils ne nous cédaient non plus en l'industrie[7]. Mais quant à la dévotion, observance des lois, bonté, libéralité, loyauté, franchise, il nous a bien

---

1. **Sibylles** : oracles.
2. **Au giron** : dans les bras de sa mère (ce monde était encore au berceau).
3. **Ce Poète** : référence à Lucrèce, cité plus haut.
4. **Paralysie** : au sens d'hémiplégie, paralysie d'un des deux côtés.
5. **Perclus** : impotent.
6. **Pratiqué** : séduit.
7. **Industrie** : savoir-faire.

servi, de n'en avoir pas tant qu'eux : Ils se sont perdus par cet avantage, et vendus, et trahis eux-mêmes. Quant à la hardiesse et courage, quant à la fermeté, constance, résolution contre les douleurs et la faim, et la mort, je ne craindrais pas d'opposer les exemples, que je trouverais parmi eux, aux plus fameux exemples anciens, que nous ayons aux mémoires de notre monde par-deçà.

Michel de Montaigne, Essais [1595], « Des coches », III, 6,
LGF, « Le livre de poche », 2001.

Montesquieu, *Lettres persanes*

Montesquieu (1689-1755) publie les *Lettres persanes* en 1721. Dans cet autre extrait (lettre XXX), Rica, le Persan, décrit la curiosité qu'il suscita parmi les Parisiens à son arrivée.

Les habitants de Paris sont d'une curiosité qui va jusqu'à l'extravagance. Lorsque j'arrivai, je fus regardé comme si j'avais été envoyé du ciel : vieillards, hommes, femmes, enfants, tous voulaient me voir. Si je sortais, tout le monde se mettait aux fenêtres ; si j'étais aux Tuileries[1], je voyais aussitôt un cercle se former autour de moi ; les femmes mêmes faisaient un arc-en-ciel nuancé de mille couleurs, qui m'entourait ; si j'étais aux spectacles, je trouvais d'abord cent lorgnettes[2] dressées contre ma figure : enfin jamais homme n'a tant été vu que moi. Je souriais quelquefois d'entendre des gens qui n'étaient presque jamais sortis de leur chambre, qui disaient entre eux : « Il faut avouer qu'il a l'air bien persan. » Chose admirable ! je trouvais de mes portraits partout ; je me voyais multiplié dans toutes les boutiques, sur toutes les cheminées, tant on craignait de ne m'avoir pas assez vu.

Montesquieu, Lettres persanes [1721],
Belin-Gallimard, « Classico », 2013.

---

1. **Tuileries** : lieu de promenade à Paris.
2. **Lorgnettes** : jumelles utilisées aux spectacles.

Jean-Jacques Rousseau, *Discours sur l'origine et les fondements de l'inégalité parmi les hommes*

Jean-Jacques Rousseau (1712-1778) propose dans ce *Discours*, composé en 1755, une réflexion sur l'origine de l'inégalité entre les hommes. Il s'interroge donc sur les relations qui existent entre l'homme et la nature, le progrès et la civilisation. Dans cet extrait, il soutient que, de la même façon que les animaux domestiques sont inférieurs aux animaux sauvages, l'homme civilisé est affaibli par les conditions dans lesquelles il vit.

Gardons-nous donc de confondre l'homme sauvage avec les hommes, que nous avons sous les yeux. La nature traite tous les animaux abandonnés à ses soins avec une prédilection, qui semble montrer combien elle est jalouse de ce droit. Le cheval, le chat, le taureau, l'âne même ont la plupart une taille plus haute, tous une constitution plus robuste, plus de vigueur, de force, et de courage dans les forêts que dans nos maisons ; ils perdent la moitié de ces avantages en devenant domestiques, et l'on dirait que tous nos soins à bien traiter et nourrir ces animaux n'aboutissent qu'à les abâtardir. Il en est ainsi de l'homme même : en devenant sociable et esclave, il devient faible, craintif, rampant, et sa manière de vivre molle et efféminée achève d'énerver à la fois sa force et son courage. Ajoutons qu'entre les conditions sauvage et domestique la différence d'homme à homme est plus grande encore que celle de bête à bête ; car l'animal et l'homme ayant été traités également par la nature, toutes les commodités que l'homme se donne de plus qu'aux animaux qu'il apprivoise sont autant de causes particulières qui le font dégénérer plus sensiblement.

Ce n'est donc pas un si grand malheur à ces premiers hommes, ni surtout un si grand obstacle à leur conservation, que la nudité, le défaut d'habitation, et la privation de toutes ces inutilités, que nous croyons si nécessaires.

Jean-Jacques Rousseau, *Discours sur l'origine et les fondements de l'inégalité parmi les hommes* [1755], Garnier-Flammarion, 2008.

François-René de Chateaubriand, *René*

René paraît pour la première fois inséré avec *Atala* dans *Le Génie du christianisme* en 1802. *René* connaît un très grand succès et a une grande influence sur les écrivains romantiques. *René* fait le récit de sa vie, de ses tourments et de sa mélancolie au vieux Chactas de la tribu des Natchez chez qui il a trouvé refuge après avoir quitté l'Europe. Ici, René interrompt le récit de sa vie pour comparer la vie des sauvages à la sienne et exprimer son incapacité à lutter contre la mélancolie qui l'emporte.

René avait les yeux attachés sur un groupe d'Indiens qui passaient gaiement dans la plaine. Tout à coup sa physionomie s'attendrit, des larmes coulent de ses yeux, il s'écrie :

«Heureux Sauvages ! Oh ! que ne puis-je jouir de la paix qui vous accompagne toujours ! Tandis qu'avec si peu de fruit[1] je parcourais tant de contrées, vous, assis tranquillement sous vos chênes, vous laissiez couler les jours sans les compter. Votre raison n'était que vos besoins[2], et vous arriviez, mieux que moi, au résultat de la sagesse, comme l'enfant, entre les jeux et le sommeil. Si cette mélancolie qui s'engendre de l'excès du bonheur atteignait quelquefois votre âme, bientôt vous sortiez de cette tristesse passagère, et votre regard levé vers le ciel cherchait avec attendrissement ce je-ne-sais-quoi inconnu, qui prend pitié du pauvre Sauvage.»

Ici la voix de René expira de nouveau, et le jeune homme pencha la tête sur sa poitrine. Chactas, étendant le bras dans l'ombre, et prenant le bras de son fils, lui cria d'un ton ému : «Mon fils ! mon cher fils !» À ces accents, le frère d'Amélie revenant à lui, et rougissant de son trouble, pria son père de lui pardonner.

Alors le vieux Sauvage : «Mon jeune ami, les mouvements d'un cœur comme le tien ne sauraient être égaux ; modère seulement ce caractère qui t'a déjà fait tant de mal. Si tu souffres plus qu'un autre des choses de la vie, il ne faut pas t'en étonner ; une grande âme doit contenir plus de douleurs qu'une petite. Continue ton récit. Tu nous as fait parcourir une partie de l'Europe, fais-nous

---

1. Fruit : profit.
2. Votre raison n'était que vos besoins : vous n'aviez besoin que de votre raison.

connaître ta patrie. Tu sais que j'ai vu la France, et quels liens m'y ont attaché ; j'aimerai à entendre parler de ce grand Chef[1], qui n'est plus, et dont j'ai visité la superbe cabane[2]. »

François-René de Chateaubriand, *René* [1805],
Hatier, « Classiques et Cie », 2007.

Paul Gauguin, *Noa Noa*

Paul Gauguin (1848-1903) commence la rédaction de *Noa Noa* en 1893 pour mieux faire comprendre sa peinture tahitienne. Dans cette œuvre publiée en 1901, Gauguin mêle à ses considérations sur son travail de peintre, des descriptions du peuple tahitien et de ses mœurs et des anecdotes biographiques. Il relate ici son arrivée à Tahiti. Sa confrontation avec le peuple tahitien et sa générosité l'amènent à se demander qui sont les véritables sauvages.

Dès le surlendemain, j'avais épuisé mes provisions. Que faire ? Je m'étais imaginé qu'avec de l'argent je trouverais tout le nécessaire de la vie. Je m'étais trompé. Franchi le seuil de la ville, c'est à la nature qu'on doit s'adresser pour vivre, et elle est riche, elle est généreuse, elle ne refuse rien à qui va lui demander sa part des trésors dont elle a d'inépuisables réserves dans les arbres, dans la montagne, dans la mer. Mais il faut savoir grimper aux arbres élevés, il faut pouvoir aller dans la montagne et en revenir chargé de fardeaux pesants, savoir prendre le poisson, pouvoir plonger, arracher dans le fond de la mer le coquillage solidement attaché au caillou, – il faut savoir, il faut pouvoir !

J'étais, donc, moi, le civilisé, singulièrement inférieur, dans la circonstance, aux sauvages. Et je les enviais. Je les regardais vivre, heureux, paisibles, autour de moi, sans plus d'effort qu'il n'est essentiel au quotidien des besoins, sans le moindre souci de l'argent : à qui vendre, quand les biens de la nature sont à la portée de la main ! Or, comme, assis, l'estomac vide, sur le seuil de ma case, je songeais tristement à ma situation, aux obstacles

---

1. Grand Chef : Louis XIV (note de Chateaubriand).
2. La superbe cabane : Chactas a visité Versailles et Paris en compagnie d'un gouverneur du Canada (note de Chateaubriand).

imprévus, peut-être insurmontables, que la nature crée, pour se défendre de lui, entre elle et celui qui vient de la civilisation, j'aperçus un indigène qui gesticulait vers moi en criant. Les gestes, très expressifs, traduisaient les paroles, et je compris : mon voisin m'invitait à dîner. D'un signe de tête je refusai. Puis, également honteux, je crois, et d'avoir subi l'offre de l'aumône et de l'avoir repoussée, je rentrai dans ma case.

Quelques minutes après, une petite fille déposait devant ma porte, sans rien dire, des légumes cuits et des fruits, proprement entourés de feuilles vertes, fraîches cueillies. J'avais faim. Sans rien dire non plus, j'acceptai.

Un peu plus tard, l'homme passa devant ma case, et, en souriant, sans s'arrêter, me dit, sur le ton interrogatif :

– Païa ?

Je devinai : « Es-tu satisfait ? »

Ce fut, entre ces sauvages et moi, le commencement de l'apprivoisement réciproque.

« Sauvages ! » Ce mot me venait inévitablement aux lèvres, quand je considérais ces êtres noirs, aux dents de cannibales. Déjà, pourtant, j'entrevoyais leur grâce réelle, étrange… Cette petite tête brune aux yeux placides, contre terre, sous des touffes de larges feuilles de giromon, ce petit enfant qui m'étudiait à mon insu, un matin, et qui s'enfuit quand mon regard rencontra le sien…

Ainsi qu'eux pour moi, j'étais pour eux un objet d'observation, un motif d'étonnement : l'inconnu de tous, l'ignorant de tout. Car je ne savais ni la langue, ni les usages, ni même l'industrie la plus initiale, la plus nécessaire. Comme chacun d'eux pour moi, j'étais pour chacun d'eux un sauvage.

Et, d'eux et de moi, qui avait tort ?

Paul Gauguin, *Noa Noa* [1901], L'Escalier, 2007.

Claude Lévi-Strauss, *Tristes Tropiques*

Claude Lévi-Strauss (1908-2009) publie *Tristes Tropiques* en 1955, après quinze ans de voyages au Brésil au cours desquels il rencontre différentes peuplades indigènes et vit avec elles. Il y raconte ses voyages mais propose également une réflexion plus vaste sur l'ethnologie, sur la place de l'homme dans la nature et sur les notions de progrès et de civilisation. Dans cet extrait, il met en cause la notion de barbarie associée à des pratiques telles que l'anthropophagie en les expliquant et en les situant dans leur contexte.

On découvre alors qu'aucune société n'est foncièrement bonne ; mais aucune n'est absolument mauvaise. Toutes offrent certains avantages à leurs membres, compte tenu d'un résidu d'iniquité dont l'importance paraît approximativement constante et qui correspond peut-être à une inertie spécifique qui s'oppose, sur le plan de la vie sociale, aux efforts d'organisation.

Cette proposition surprendra l'amateur de récits de voyages, ému au rappel des coutumes «barbares» de telle ou telle peuplade. Pourtant, ces réactions à fleur de peau ne résistent pas à une appréciation correcte des faits et à leur rétablissement dans une perspective élargie. Prenons le cas de l'anthropophagie qui, de toutes les pratiques sauvages, est sans doute celle qui nous inspire le plus d'horreur et de dégoût. On devra d'abord en dissocier les formes proprement alimentaires, c'est-à-dire celles où l'appétit pour la chair humaine s'explique par la carence d'autre nourriture animale, comme c'était le cas dans certaines îles polynésiennes. De telles fringales, nulle société n'est moralement protégée ; la famine peut entraîner les hommes à manger n'importe quoi : l'exemple récent des camps d'extermination le prouve.

Restent alors les formes d'anthropophagie qu'on peut appeler positives, celles qui relèvent d'une cause mystique, magique ou religieuse ; ainsi l'ingestion d'une parcelle du corps d'un ascendant ou d'un fragment d'un cadavre ennemi, pour permettre l'incorporation de ses vertus ou encore la neutralisation de son pouvoir ; outre que de tels rites s'accomplissent le plus souvent de manière fort discrète, portant sur de menues quantités de matière organique pulvérisée ou mêlée à d'autres aliments, on reconnaîtra, même quand elles revêtent des formes plus franches, que la condamnation morale de telles coutumes implique soit une croyance en la résurrection corporelle qui serait compromise par la destruction matérielle du cadavre, soit l'affirmation d'un lien entre l'âme et le corps et le dualisme correspondant, c'est-à-dire des convictions qui sont de même nature que celles au nom desquelles la consommation rituelle est pratiquée, et que nous n'avons pas de raison de leur préférer. D'autant plus que la désinvolture vis-à-vis de la mémoire du défunt, dont nous pourrions faire grief au cannibalisme, n'est certainement pas plus grande, bien au contraire, que celle que nous tolérons dans les amphithéâtres de dissection.

Claude Lévi-Strauss, *Tristes Tropiques* [1955], Pocket, 2001.

Questions sur les groupements de textes

■ L'utopie au XVIIIe siècle

a. Comparez les différentes sociétés idéales décrites dans ces textes et faites apparaître les valeurs qu'elles mettent en avant. Déduisez ensuite les travers de la société contemporaine des auteurs que ces utopies dénoncent indirectement.

TICE b. Rendez-vous sur le site Joconde, banque d'images des musées de France, www.culture.gouv.fr/documentation/joconde/fr/ et sur le site Regard éloigné consacré à l'anthropologie et aux cultures lointaines, www.agoras.typead.fr.
Cherchez des tableaux de Paul Gauguin représentant Tahiti et montrez comment le peintre donne une image idéalisée de la nature et des habitants de cette île. Trouvez ensuite un tableau de Gauguin illustrant les valeurs tahitiennes mises en avant par Diderot (simplicité, proximité avec la nature, sensualité).

■ Regards sur l'autre

a. Montrez comment les textes proposés opèrent un renversement de perspective qui invite à regarder les hommes civilisés comme sauvages et les sauvages comme des hommes sages. Faites ensuite apparaître que la notion de sauvagerie est par là même remise en question.

TICE b. Rendez-vous sur le site de la BNF consacré à l'exposition sur les Lumières, www.expositions.bnf.fr/lumieres/. Étudiez les documents iconographiques de la page « l'universalité » et dites en quoi le regard curieux et critique que projettent les Européens sur les coutumes des autres civilisations est ambigu.

Vers l'écrit du Bac

L'épreuve écrite du Bac de français s'appuie sur un corpus (ensemble de textes et de documents iconographiques). Le sujet se compose de deux parties : une ou deux questions portant sur le corpus puis trois travaux d'écriture au choix (commentaire, dissertation, écriture d'invention).

Sujet **La voix de l'oppressé**

☛ Genres et formes de l'argumentation : XVIIᵉ et XVIIIᵉ siècles

---

Corpus

Texte A   Jean de La Fontaine, « Le paysan du Danube »

Texte B   Denis Diderot, *Supplément au Voyage de Bougainville*

Texte C   Louis-Armand de Lahontan, *Dialogues de M. le Baron de Lahontan et d'un sauvage dans l'Amérique*

Texte D   Jean Giraudoux, *Supplément au Voyage de Cook*

Annexe   John Gabriel Stedman, *Autoportrait de l'artiste avec un esclave noir à ses pieds*

Texte A
Jean de La Fontaine, « Le paysan du Danube » (1679)

Dans cette fable, La Fontaine critique l'impérialisme européen de son époque à travers la mise en cause de la politique conquérante des Romains. Il se préserve ainsi de la censure.

Il ne faut point juger des gens sur l'apparence.
Le conseil en est bon ; mais il n'est pas nouveau.
Jadis l'erreur du Souriceau
Me servit à prouver le discours que j'avance.
J'ai, pour le fonder à présent,
Le bon Socrate, Ésope, et certain Paysan
Des rives du Danube, homme dont Marc-Aurèle
Nous fait un portrait fort fidèle.
On connaît les premiers : quant à l'autre, voici
Le personnage en raccourci.
Son menton nourrissait une barbe touffue,
Toute sa personne velue
Représentait un Ours, mais un Ours mal léché.
Sous un sourcil épais il avait l'œil caché,
Le regard de travers, nez tordu, grosse lèvre,
Portait sayon[1] de poil de chèvre,
Et ceinture de joncs marins.
Cet homme ainsi bâti fut député des Villes
Que lave le Danube : il n'était point d'asiles
Où l'avarice des Romains
Ne pénétrât alors, et ne portât les mains.
Le député vint donc, et fit cette harangue :
Romains, et vous, Sénat, assis pour m'écouter,
Je supplie avant tout les Dieux de m'assister :
Veuillent les Immortels, conducteurs de ma langue,
Que je ne dise rien qui doive être repris.
Sans leur aide, il ne peut entrer dans les esprits
Que tout mal et toute injustice :
Faute d'y recourir, on viole leurs lois.
Témoin nous, que punit la Romaine avarice :

---

1. Sayon : vêtement en étoffe grossière, porté par les paysans et les bergers.

Rome est par nos forfaits, plus que par ses exploits,
L'instrument de notre supplice.
Craignez, Romains, craignez que le Ciel quelque jour
Ne transporte chez vous les pleurs et la misère ;
Et mettant en nos mains par un juste retour
Les armes dont se sert sa vengeance sévère,
Il ne vous fasse en sa colère
Nos esclaves à votre tour.
Et pourquoi sommes-nous les vôtres ? Qu'on me dise
En quoi vous valez mieux que cent peuples divers.
Quel droit vous a rendus maîtres de l'Univers ?
Pourquoi venir troubler une innocente vie ?
Nous cultivions en paix d'heureux champs, et nos mains
Étaient propres aux Arts ainsi qu'au labourage :
Qu'avez-vous appris aux Germains ?
Ils ont l'adresse et le courage ;
S'ils avaient eu l'avidité,
Comme vous, et la violence,
Peut-être en votre place ils auraient la puissance,
Et sauraient en user sans inhumanité.
Celle que vos Préteurs[1] ont sur nous exercée
N'entre qu'à peine en la pensée.
La majesté de vos Autels
Elle-même en est offensée ;
Car sachez que les immortels
Ont les regards sur nous. Grâces à vos exemples,
Ils n'ont devant les yeux que des objets d'horreur,
De mépris d'eux, et de leurs Temples,
D'avarice qui va jusques à la fureur. […]
Je finis. Punissez de mort
Une plainte un peu trop sincère.
À ces mots, il se couche et chacun étonné
Admire le grand cœur, le bon sens, l'éloquence,
Du sauvage ainsi prosterné.
On le créa Patrice[2] ; et ce fut la vengeance
Qu'on crut qu'un tel discours méritait. On choisit

---

1. **Préteurs** : magistrats chargés de la justice.
2. **Patrice** : titre conféré par les Romains à des rois barbares.

D'autres préteurs, et par écrit
Le Sénat demanda ce qu'avait dit cet homme,
Pour servir de modèle aux parleurs à venir.
On ne sut pas longtemps à Rome
Cette éloquence entretenir.

La Fontaine, Fables, Livre XI, Fable 7.

Texte B
Denis Diderot, *Supplément au Voyage de Bougainville* (1774)

« Pleurez, malheureux Otaïtiens, pleurez, mais que ce soit de l'arrivée et non du départ de ces hommes ambitieux et méchants. Un jour vous les connaîtrez mieux. Un jour ils reviendront, le morceau de bois[1] que vous voyez attaché à la ceinture de celui-ci dans une main, et le fer[2] qui pend au côté de celui-là dans l'autre, vous enchaîner, vous égorger ou vous assujettir à leurs extravagances et à leurs vices. Un jour vous servirez sous eux, aussi corrompus, aussi vils, aussi malheureux qu'eux. Mais je me console, je touche à la fin de ma carrière, et la calamité que je vous annonce, je ne la verrai point. Ô Otaïtiens, ô mes amis, vous auriez un moyen d'échapper à un funeste avenir, mais j'aimerais mieux mourir que de vous en donner le conseil[3]. Qu'ils s'éloignent et qu'ils vivent. »

Puis s'adressant à Bougainville, il ajouta :

« Et toi, chef des brigands qui t'obéissent, écarte promptement ton vaisseau de notre rive. Nous sommes innocents, nous sommes heureux, et tu ne peux que nuire à notre bonheur. Nous suivons le pur instinct de la nature, et tu as tenté d'effacer de nos âmes son caractère. Ici tout est à tous, et tu nous as prêché je ne sais quelle distinction du *tien* et du *mien*[4]. Nos filles et nos femmes nous sont communes, tu as partagé ce privilège avec nous, et tu es venu allumer en elles des fureurs inconnues. Elles sont

---

1. **Le morceau de bois** : la croix du prêtre.
2. **Le fer** : l'épée du conquérant.
3. **Le conseil** : le conseil de les massacrer pour que l'existence de leur île ne soit pas connue.
4. **Distinction du *tien* et du *mien*** : référence à la notion de propriété.

devenues folles dans tes bras, tu es devenu féroce entre les leurs ; elles ont commencé à se haïr ; vous vous êtes égorgés pour elles, et elles nous sont revenues teintes de votre sang. Nous sommes libres, et voilà que tu as enfoui dans notre terre le titre de notre futur esclavage[1]. Tu n'es ni un dieu ni un démon, qui es-tu donc pour faire des esclaves ? Orou, toi qui entends la langue de ces hommes-là, dis-nous à tous, comme tu me l'as dit à moi-même, ce qu'ils ont écrit sur cette lame de métal : *Ce pays est à nous.* Ce pays est à toi ! et pourquoi ? Parce que tu y as mis le pied ! Si un Otaïtien débarquait un jour sur vos côtes et qu'il gravât sur une de vos pierres ou sur l'écorce d'un de vos arbres : *Ce pays est aux habitants d'Otaïti,* qu'en penserais-tu ? Tu es le plus fort, et qu'est-ce que cela fait ? Lorsqu'on t'a enlevé une des méprisables bagatelles dont ton bâtiment est rempli, tu t'es récrié, tu t'es vengé, et dans le même instant tu as projeté au fond de ton cœur le vol de toute une contrée ! Tu n'es pas esclave, tu souffrirais plutôt la mort que de l'être, et tu veux nous asservir ! Tu crois donc que l'Otaïtien ne sait pas défendre sa liberté et mourir ? Celui dont tu veux t'emparer comme de la brute[2], l'Otaïtien est ton frère ; vous êtes deux enfants de la nature ; quel droit as-tu sur lui qu'il n'ait pas sur toi ? Tu es venu, nous sommes-nous jetés sur ta personne ? Avons-nous pillé ton vaisseau ? T'avons-nous saisi et exposé aux flèches de nos ennemis ? T'avons-nous associé dans nos champs au travail de nos animaux ? Nous avons respecté notre image en toi. »

Denis Diderot, *Supplément au Voyage de Bougainville*, chapitre II.

Texte C
Louis-Armand de Lahontan, *Dialogues de M. le Baron de Lahontan et d'un sauvage dans l'Amérique* (1702)

L'œuvre de Lahontan met en scène un dialogue entre un Huron, Adario, et un Européen, Lahontan, dans lequel ils s'interrogent sur les grandes questions philosophiques qui intéressent les philosophes des Lumières :

---

1. Bougainville a effectivement enterré un acte de prise de possession de Tahiti avant son départ.
2. Brute : animal.

religion, politique, justice, mœurs. Dans cet extrait, Adario met en cause la notion d'autorité et les lois du monde civilisé en leur opposant la liberté du Huron.

Nous nous contentons de nier notre dépendance de tout autre que du grand Esprit ; nous sommes nés libres et frères unis, aussi grands maîtres les uns que les autres ; au lieu que vous êtes tous des esclaves d'un seul homme. Si nous ne répondons pas que nous prétendons que tous les Français dépendent de nous, c'est que nous voulons éviter des querelles. Car sur quel droit et sur quelle autorité fondent-ils cette prétention ? Est-ce que nous nous sommes vendus à ce grand capitaine ? Avons-nous été en France vous chercher ? C'est vous qui êtes venus ici nous trouver. Qui vous a donné tous les pays que vous habitez ? De quel droit les possédez-vous ? Ils appartiennent aux *Algonkins* depuis toujours. Ma foi, mon cher frère, je te plains dans l'âme. Crois-moi, fais-toi Huron. Car je vois la différence de ma condition à la tienne. Je suis maître de mon corps, je dispose de moi-même, je fais ce que je veux, je suis le premier et le dernier de ma nation ; je ne crains personne et ne dépends uniquement que du grand Esprit. Au lieu que ton corps et ta vie dépendent de ton grand capitaine ; son vice-roi dispose de toi, tu ne fais pas ce que tu veux, tu crains voleurs, faux témoins, assassins, etc. Tu dépends de mille gens que les emplois ont mis au-dessus de toi. Est-il vrai ou non ? sont-ce des choses improbables et invisibles ? Ha ! mon cher frère, tu vois bien que j'ai raison ; cependant, tu aimes encore mieux être esclave français, que libre huron. Ô le bel homme qu'un Français avec ses belles lois, qui croyant être bien sage est assurément bien fou ! puisqu'il demeure dans l'esclavage et dans la dépendance, pendant que les animaux eux-mêmes jouissant de cette adorable liberté, ne craignent, comme nous, que des ennemis étrangers.

Louis-Armand de Lahontan, *Dialogues de M. le Baron de Lahontan et d'un sauvage dans l'Amérique*, Éditions Desjonquères, 2007.

Texte D
Jean Giraudoux, *Supplément au Voyage de Cook* (1935)

Cette pièce de théâtre raconte l'arrivée des Anglais à Tahiti. Elle se présente comme un supplément au *Voyage* de Cook et s'inspire de l'œuvre de Diderot. Cet extrait se situe dans la dernière scène de la pièce.

OUTOUROU : [...] L'œuvre magnifique de Mr. Banks touche à son terme. Tous et toutes vous pourrez recevoir demain nos hôtes comme on les reçoit dans leurs propres villes. Je vous félicite d'avoir déjà, pour que les marins puissent dormir sur ce piédestal où dort Mr. Banks, installé leurs lits au faîte des mancenilliers et au-dessus des précipices. Mais ce n'est pas tout et je vous répète mes ordres : vous tous, jeunes gens et amis dans la force de l'âge, n'oubliez pas que vous êtes des travailleurs, ayez toujours chacun une bêche avec vous, éventez-vous avec vos bêches, protégez-vous du soleil avec vos bêches, dansez la danse de la bêche, quand vous dormez, dormez du sommeil de la bêche. Et ne vous en servez sous aucun prétexte, il faudra les rendre au départ. Vous, les enfants et les vieillards, gardez-vous de demander aux marins leurs boutons et leurs lunettes. Il est un moyen anglais pour se les approprier qui s'appelle le vol. Et vous, nos femmes et nos filles, au lieu d'attendre placidement nos hôtes en costumes de fête, courez au-devant des marins en leur réclamant un enfant, comme l'exige Mr. Banks, et dès qu'ils paraîtront, jetez à terre tout ce qui sur votre corps est inflammable, je veux dire vos vêtements, car les regards des Européens, d'après Mr. Banks, brûlent les femmes, puis entraînez-les, gorgés de vin de palme, dans l'ombre de vos cases où nos voleurs pourront à loisir les soulager discrètement de leurs canifs et de leurs blagues. Tel est l'enseignement dont l'habile Mr. Banks nous a pénétrés en deux heures. Montrez-vous dignes de lui.

LA FOULE : Vive Mr. Banks !

Jean Giraudoux, *Supplément au Voyage de Cook*, scène XI,
Le Livre de poche, « Classiques modernes », 1991.

Annexe
John Gabriel Stedman, *Autoportrait de l'artiste avec un esclave noir à ses pieds*, gravure, 1796

➡ Image reproduite en fin d'ouvrage, au verso de la couverture.

■ *Questions sur le corpus*
(4 points pour les séries générales ou 6 points pour les séries technologiques)

1. Présentez les textes et leurs spécificités.
2. Montrez en quoi, dans chaque texte, le choix du registre participe de la stratégie argumentative.

■ *Travaux d'écriture*
(16 points pour les séries générales ou 14 points pour les séries technologiques)

Commentaire (séries générales)
Vous ferez le commentaire de l'extrait de la scène IX du *Supplément au Voyage de Cook* de Jean Giraudoux (texte D).

Commentaire (séries technologiques)
Vous commenterez la fable de La Fontaine, « Le paysan du Danube » (texte A) en vous aidant du parcours de lecture suivant : vous montrez en quoi le portrait du paysan se révèle trompeur, puis vous étudierez comment La Fontaine confère un aspect critique à sa fable en soulignant l'opposition entre les deux peuples mis en scène.

Dissertation
Le discours direct vous paraît-il le moyen le plus efficace pour dénoncer l'oppression que font subir les Européens aux autres peuples ? Vous répondrez en vous appuyant sur les textes et l'image ainsi que sur vos lectures personnelles et les œuvres étudiées en classe.

Écriture d'invention
Imaginez le discours que Bougainville pourrait prononcer pour répondre au vieillard. Le navigateur oppose aux reproches et à la vision pessimiste du Tahitien une peinture de la civilisation européenne empreinte d'esprit des Lumières : il défend ainsi les notions de progrès, de connaissance et d'égalité. Il présente la colonisation comme un bienfait et vante la religion catholique.

Fenêtres sur...

📚 *Des ouvrages à lire*

Ouvrages de Diderot

• Denis Diderot, « Ceci n'est pas un conte » et « Madame de La Carlière »
  dans *Œuvres*, tome II, *Contes*, Robert Laffont, « Bouquins », 1994.
• Denis Diderot, *Jacques le Fataliste*, Gallimard, « La bibliothèque
  Gallimard », 2006.

Ouvrages sur Diderot

• Yvon Belaval, *Études sur Diderot*, PUF, 2002.
• Jean-Claude Bonnet, *Diderot, Textes et débats*, LGF, « Le Livre
  de poche », 1984.
• Olivier Wotling, *Diderot*, Nathan, « Balises », 2006.

Ouvrages du siècle des Lumières

• Lahontan, *Dialogues de M. le baron de Lahontan et d'un sauvage dans
  l'Amérique* [1702], Éditions Desjonquères, 2007.
• Montesquieu, *Lettres persanes* [1721], Belin-Gallimard, « Classico », 2013.
• Marivaux, *L'Île des esclaves* [1725], Belin-Gallimard, « Classico », 2010.
• Voltaire, *L'Ingénu* [1767], Belin-Gallimard, « Classico », 2012.

• Jean-Jacques Rousseau, *Discours sur l'origine et les fondements de l'inégalité parmi les hommes* [1755], GF-Flammarion, 2008.

Récits de voyage

• Jean de Léry, *Voyage en terre de Brésil* [1578], adaptation en français moderne par Fanny Marin, «Bibliocollège», Hachette Livre, 2000.
• Samuel de Champlain, *Voyages au Canada* [1771], modernisation par Myriam Marrache-Gavaud, Gallimard, «Folioplus classiques», 2010.
• Bougainville, *Voyage autour du monde* [1613], Gallimard, «Folio classiques», 1982.
• Claude Lévi-Strauss, *Tristes Tropiques* [1955], Pocket, 2001.

Un téléfilm et des films à voir

(Les œuvres citées ci-dessous sont disponibles en DVD.)

• *Les Révoltés du Bounty*, de Frank Lloyd, avec Charles Laughton et Clark Gable, noir et banc, 1935.
• *Les Révoltés du Bounty*, de Lewis Milestone, avec Marlon Brando, noir et banc, 1962.
• *La Controverse de Valladolid*, de Jean-Daniel Verhaeghe, avec Jean-Pierre Marielle et Jean-Louis Trintignant, couleur, 1992.

@ *Des sites Internet à consulter*

Sur la société du xviiie siècle

• http://expositions.bnf.fr/lumieres/

Sur les civilisations lointaines

• http://modules.quaibranly.fr/e-malette/

Sur l'opposition entre nature et culture

• http://www.lettres.ac-versailles.fr/spip.php?article730

Glossaire

Allusion : renvoi implicite à une référence (idée) connue ou censée être connue du lecteur.

Anaphore : figure de style qui consiste à répéter les mêmes mots en début de phrase.

Antithèse : figure de style qui met en présence des éléments opposés.

Apologie : éloge.

Apostrophe : procédé utilisé pour interpeller un interlocuteur.

Asyndète : figure de style qui supprime les liens de coordination dans un texte.

Champ lexical : ensemble des mots utilisés pour exprimer un même thème.

Comparaison : figure de style qui associe un comparant (image) à un comparé à l'aide d'un outil de comparaison (*comme*, *pareil à*...).

Convaincre : obtenir l'adhésion de son interlocuteur par la raison, en sollicitant ses facultés d'analyse intellectuelle.

Dialogue didactique : forme de dialogue mettant en scène un échange déséquilibré où l'un des interlocuteurs est placé dans le rôle du maître et l'autre dans celui de l'élève.

Diatribe : discours écrit ou oral dans lequel on attaque quelqu'un ou quelque chose de manière violente.

Énumération: figure de style qui juxtapose des termes et crée ainsi une insistance.

Harangue: discours solennel.

Hyperbole: figure de style qui implique l'exagération et l'outrance.

Ironie: procédé qui consiste à dire l'inverse de ce que l'on veut faire comprendre.

Juxtaposition: suite de termes ou de propositions reliés par des signes de ponctuation.

Maxime: courte phrase énonçant une vérité ou un enseignement.

Métaphore: figure de style qui consiste à établir une assimilation entre un comparé et un comparant (image) qui sont rapprochés sans outil de comparaison.

Mise en abyme: procédé qui consiste à évoquer une œuvre dans l'œuvre même.

Paradoxe: figure de style qui consiste à formuler une expression antithétique qui va à l'encontre du sens commun pour atteindre un sens supérieur.

Périphrase: figure de style qui remplace le terme propre par une expression indirecte, souvent imagée.

Persuader: obtenir l'adhésion de son interlocuteur en faisant appel à sa sensibilité et à ses sentiments.

Question oratoire: question qui n'attend pas de réponse et met en valeur l'idée qu'elle contient.

Récit-cadre: récit dans lequel s'insère un second récit fait ou lu par les personnages.

Récit enchâssé: récit qui se trouve inséré dans un récit-cadre.

Registre comique: tonalité visant à faire rire.

Registre pathétique: tonalité qui suscite chez le lecteur une vive émotion, de la pitié.

Registre polémique: registre qui vise à attaquer les idées adverses et à dénoncer de manière violente.

Registre satirique : registre qui vise à dénoncer quelque chose ou quelqu'un en s'en moquant et en le ridiculisant.

Réquisitoire : discours dans lequel on expose des reproches et des accusations contre quelqu'un ou quelque chose.

Thèse : idée, point de vue défendu à l'aide d'arguments et d'exemples.

Utopie : représentation d'un monde idéal visant à mettre en cause, indirectement, le monde réel.

Valeur symbolique : signification concrète qui renvoie à une signification abstraite (deux niveaux de lecture).

Notes

Notes

Notes

Notes

Notes

Notes

Notes

Notes

Dans la même collection

CLASSICO**COLLÈGE**

14-18 Lettres d'écrivains (anthologie) (1)

Contes (Andersen, Aulnoy, Grimm, Perrault) (93)

Fabliaux (94)

La Farce de maître Pathelin (75)

Gilgamesh (17)

Histoires de vampires (33)

La Poésie engagée (anthologie) (31)

La Poésie lyrique (anthologie) (49)

Le Roman de Renart (50)

Jean Anouilh – *Le Bal des voleurs* (78)

Guillaume Apollinaire – *Calligrammes* (2)

Honoré de Balzac – *Le Colonel Chabert* (57)

Béroul – *Tristan et Iseut* (61)

Lewis Carroll – *Alice au pays des merveilles* (53)

Driss Chraïbi – *La Civilisation, ma Mère!...* (79)

Chrétien de Troyes – *Yvain ou le Chevalier au lion* (3)

Jean Cocteau – *Antigone* (96)

Albert Cohen – *Le Livre de ma mère* (59)

Corneille – *Le Cid* (41)

Didier Daeninckx – *Meurtres pour mémoire* (4)

Annie Ernaux – *La Place* (82)

Georges Feydeau – *Dormez, je le veux!* (76)

Gustave Flaubert – *Un cœur simple* (77)

William Golding – *Sa Majesté des Mouches* (5)

Jacob et Wilhelm Grimm – *Contes* (73)

Homère – *L'Odyssée* (14)

Victor Hugo – *Claude Gueux* (6)

Joseph Kessel – *Le Lion* (38)

Jean de La Fontaine – *Fables* (74)

J.M.G. Le Clézio – *Mondo et trois autres histoires* (34)

Jack London – *L'Appel de la forêt* (30)

Guy de Maupassant – *Histoire vraie et autres nouvelles* (7)
Guy de Maupassant – *Le Horla* (54)
Guy de Maupassant – *Nouvelles réalistes* (97)
Prosper Mérimée – *Mateo Falcone* et *La Vénus d'Ille* (8)
Molière – *L'Avare* (51)
Molière – *Le Bourgeois gentilhomme* (62)
Molière – *Les Fourberies de Scapin* (9)
Molière – *Le Malade imaginaire* (42)
Molière – *Le Médecin malgré lui* (13)
Molière – *Le Médecin volant* (52)
Jean Molla – *Sobibor* (32)
Ovide – *Les Métamorphoses* (37)
Charles Perrault – *Contes* (15)
Edgar Allan Poe – *Trois nouvelles extraordinaires* (16)
Jules Romains – *Knock ou le Triomphe de la médecine* (10)
Edmond Rostand – *Cyrano de Bergerac* (58)
Antoine de Saint-Exupéry – *Lettre à un otage* (11)
William Shakespeare – *Roméo et Juliette* (70)
Sophocle – *Antigone* (81)
John Steinbeck – *Des souris et des hommes* (100)
Robert Louis Stevenson – *L'Île au Trésor* (95)
Jean Tardieu – *Quatre courtes pièces* (63)
Michel Tournier – *Vendredi ou la Vie sauvage* (69)
Fred Uhlman – *L'Ami retrouvé* (80)
Paul Verlaine – *Romances sans paroles* (12)
Anne Wiazemsky – *Mon enfant de Berlin* (98)

CLASSICOLYCÉE

Des poèmes et des rêves (anthologie) (105)
Guillaume Apollinaire – *Alcools* (25)
Honoré de Balzac – *Le Père Goriot* (99)
Charles Baudelaire – *Les Fleurs du mal* (21)
Charles Baudelaire – *Le Spleen de Paris* (87)
Beaumarchais – *Le Mariage de Figaro* (65)

Ray Bradbury – *Fahrenheit 451* (66)

Albert Camus – *La Peste* (90)

Emmanuel Carrère – *L'Adversaire* (40)

Corneille – *Médée* (84)

Dai Sijie – *Balzac et la Petite Tailleuse chinoise* (28)

Denis Diderot – *Supplément au Voyage de Bougainville* (56)

Marguerite Duras – *Un barrage contre le Pacifique* (67)

Paul Éluard – *Capitale de la douleur* (91)

Annie Ernaux – *La Place* (35)

Francis Scott Fitzgerald – *Gatsby le magnifique* (104)

Gustave Flaubert – *Madame Bovary* (89)

Romain Gary – *La Vie devant soi* (29)

Jean Genet – *Les Bonnes* (45)

J.-Cl. Grumberg, Ph. Minyana, N. Renaude – *Trois pièces contemporaines* (24)

Victor Hugo – *Le Dernier Jour d'un condamné* (44)

Victor Hugo – *Ruy Blas* (19)

Eugène Ionesco – *La Cantatrice chauve* (20)

Eugène Ionesco – *Le roi se meurt* (43)

Laclos – *Les Liaisons dangereuses* (88)

Mme de Lafayette – *La Princesse de Clèves* (71)

Marivaux – *L'Île des esclaves* (36)

Marivaux – *Le Jeu de l'amour et du hasard* (55)

Guy de Maupassant – *Bel-Ami* (27)

Guy de Maupassant – *Pierre et Jean* (64)

Molière – *Dom Juan* (26)

Molière – *L'École des femmes* (102)

Molière – *Le Tartuffe* (48)

Montesquieu – *Lettres persanes* (103)

Alfred de Musset – *On ne badine pas avec l'amour* (86)

George Orwell – *La Ferme des animaux* (106)

Pierre Péju – *La Petite Chartreuse* (92)

Francis Ponge – *Le Parti pris des choses* (72)

Abbé Prévost – *Manon Lescaut* (23)

Racine – *Andromaque* (22)

Racine – *Bérénice* (60)

Racine – *Phèdre* (39)

Arthur Rimbaud – *Œuvres poétiques* (68)
Paul Verlaine – *Poèmes saturniens* et *Fêtes galantes* (101)
Voltaire – *Candide* (18)
Voltaire – *L'Ingénu* (85)
Voltaire – *Zadig* (47)
Émile Zola – *La Fortune des Rougon* (46)
Émile Zola – *Nouvelles naturalistes* (83)

Pour obtenir plus d'informations, bénéficier d'offres spéciales enseignants ou nous communiquer vos attentes, renseignez-vous sur **www.collection-classico.com** ou envoyez un courriel à **contact.classico@editions-belin.fr**

Cet ouvrage a été composé par Palimpseste à Paris.

Imprimé en Espagne par Novoprint (Barcelone)
N° d'édition : 005644-04 – Dépôt légal : août 2013